結果に直結する最強の復習

頭のいい人が実践する

6回やるだけ

勉強法

齋藤孝
Takashi Saito

徳間書店

はじめに

　世の中には、２種類の人がいます。それは、成績が上がる人と、成績が上がらない人──。

　断っておきますが、両者には頭のよさや能力において、決定的な差があるわけではありません。ハッキリした違いを挙げるとすれば、ただ１つだけあります。それをしているかどうかで、成績で大きな差がつくと言っても過言ではありません。

　その違いが、本書のテーマです。

　成績が上がる人と成績が上がらない人。両者を比べた場合、人数が多いのは後者でしょう。世の中にたくさんいると思われる成績が上がらない人には、さまざまなタイプがいます。「まったく勉強していない」という人を除けば、ほとんどがそれなりの時間をかけて真面目にやっています。

「勉強はしている。でも、頑張ってやってもなかなか結果が出ない」……

　そんなふうに感じている人は、あなただけではなく、おそらくたくさんいます。本当は勉強を「したくない」のだけれど、「必要ない」とまで思っている人はまずいないでしょう。

「必要だから、やらなければならない」と割り切ってやってみても、あまりいい結果は出ないものです。せっかく頑張ってやっても、すぐに結果に結びつかないから、勉強の必要性は感じ

ても、それ以上は積極的になれません。

　頑張ってやれば、やった分だけ成績が上がる——。もしそうなら、誰もが勉強好きになっていることでしょう。この本を読む人などいなくなっているかもしれません。

　当たり前ですが、**勉強したことが身につくまでには、それ相応の時間がかかります。さらに実際にテストでいい点を取ったり、試験に合格したりするまでになるには、身につけたことを試験当日という大事なときに活かしたり、再現できたりしなければなりません。**

　せっかく覚えたことを試験当日に緊張のあまりド忘れしてしまったら、どんなに頑張って勉強したとしても、いい点数を取ることも試験に合格することもできなくなってしまいます。そんなことが起こったら、長い間取り組んできたことが水の泡に帰してしまいます。

勉強に魔法はない

「もっとカンタンに勉強ができるようになったらなぁ」……

　そう思う人はたくさんいるに違いないですが、残念ながら魔法はありません。テストで高得点を取ったり試験に合格したりするためには、頑張ってやるしかないのです。やはり求めている結果を得るためには、それ相応の努力が必要です。ラクして手に入るものなどありません。

「せっかくこの本を読んで、いい点数を取れる（試験に合格できる）ようになろうと思ったのに」……

そう思ったとしても、ガッカリしないでください。見切りをつけるのが、早すぎます。

少なくとも今よりも学んだことを効率的に身につけて、覚えたことを忘れずに、それでいて大事なときに活かせるようになる方法は、現実に存在します。それは、私自身も長年やってきて、また現在、教師として多くの教え子に実践してもらって確実に効果を上げている方法です。

それが、**本書のテーマである「復習」**です。

親や学校の先生に「復習は大事だ」「復習しないと忘れちゃうよ」と言われているので、現にやっている人はたくさんいます。あなたも復習を欠かさずにやっているのではないでしょうか。

効果が出る復習、効果が出ない復習

あなた自身のことはともかく、テストで点数が低かったり試験に合格したりできない人がたくさんいるところを見ると、「本当に復習をやっているの？」と聞きたくなるくらいです。おそらく「やっていない」ということはなくて、「効果が上がるやり方をしていないから、結果が出ない」というのが、実態ではないでしょうか。

復習は、ただやればいいというものではありません（これは勉強全般に言えることです）。

やればやっただけ記憶に定着する。

テストでいい点を取れる。

試験に合格する。

そうした結果に結びつくものでなければなりません。その効果が高い復習法を網羅するのが、本書です。

復習には、効果が出ないものと出るものがあります。

結果につながる復習──。それこそが、学生のみならず、資格取得を目指している社会人に求められるものです。復習すると言っても、**やるのは6回だけ。**

6回と言うと、多い気がするかもしれませんが、実際には、回数を重ねるごとに1回にかかるエネルギーは少なくなっていきます。

なぜ6回なのか。それは5～6回目の反復で記憶が定着するからです。

量が多くなると、質的な変化を起こすことがあります。これを「量質転化」と言います。6回目あたりで質的変化が起こって、記憶が定着する感覚です。

勉強時間が少なくなっても、点数が上がる！

もし「復習なんて面倒くさい」と思っている人がいるとしたら、こう言っておきましょう。

「やればやるほど面倒がなくなって、むしろラクになれますよ。それでいて記憶に残るのですから、こんなにいいことはないですよ」

復習とは、結果を出すためにする勉強法です。きちんとやっていれば、結果が出ないはずがありません。

　いいえ、むしろ「前ほど時間をかけてやっていないのに、忘れていない！」「こんなに点数が上がっちゃうの！」とビックリするくらいです。

　短時間でできて、しかも効果がある——。それが、結果につながる復習です。

　以前よりも勉強時間が少なくなっても、いい点数を取れるとしたら、こんなにいい勉強のやり方はほかに探すのに苦労するほど。試験まで日にちがない学生や忙しい社会人にとってみれば、ノドから手が出るほど知りたい内容が満載です。

　あらかじめ言っておくと、本書は受験生から、資格取得を目指している社会人を対象にしています。特定の科目を対象としたものではなく、勉強全般に通じる内容として構成しています。

　汎用性のある勉強法としてまとめていますので、多くの人にとって役に立つ内容に仕上がっていると自負しています。

　ここまで読んできて、復習について俄然、興味を持ったのではありませんか？

　それならこのまま読み進めましょう。あなたが「成績が上がる人」になるために——。

齋藤　孝

CONTENTS

1章　復習力とは何か？

理解できないところは繰り返しやる
覚えたことを何度もやるのはムダ

復習の真実②

復習は初めが肝心

復習の真実③

覚えられない単語があっても、気にしない
モチベーションは2週間しか続かない

復習の真実④

「理解していない」のは悪いことではない

復習の真実⑤

不要な練習は1つもない
やり切るから自分のものになる

復習するから授業内容を理解できる
予習することで全体像を把握できる
予習をすると、授業が復習になる

教科書を全部読むと、流れがつかめる

理解できることが喜びになる
スキマ時間にも復習する

2章 成績が上がる人、上がらない人の決定的な違い

3章　結果につながる
6回復習法

4章 ノート＋図で復習する

5章　本番直前・当日の復習法

6章　ビジネスや
プライベートで
活かす復習力

編集協力／岩崎英彦
カバーデザイン・図版／大谷昌稔
本文デザイン／エムアンドケイ
ＤＴＰ／キャップス
校正／(株)鷗来堂
帯写真　©朝日新聞社／アマナイメージズ

復習力とは何か？

勉強が苦手な人が
知らないでいること

　勉強とスポーツ——。

　この2つのうち、「どちらのほうが好き、あるいは楽しいか？」と問われたら、多くの人の答えは後者でしょう。

　「勉強よりスポーツのほうが好き」という人は、確かにたくさんいます。「スポーツのほうがやっていて楽しくて、勉強は全然楽しくない」と答える人もいるに違いありません。

　どちらが好きとか楽しいのかは個人の価値観によるところが大きいのでなんとも断定できかねますが、私なら「どちらも楽しい」と答えます。「スポーツのほうが楽しい」と言う人は、もしかしたら勉強の楽しさを知らないだけなのではないでしょうか。それは、とても残念なことです。

　勉強も、やってみると、とても楽しいものです。本当ですよ。私もスポーツは大好きですが、勉強はそれと同じくらいか、それ以上に好きです。

　聞き方を変えましょう。この2つのうち、「どちらのほうが身につきやすいか、あるいは上達しやすいか？」と問われたら、やはり多くの人が「スポーツ」と答えるような気がします。

　残念ながら、それは違います。身につきやすさ、上達しやすさを比べると、「勉強が圧勝する」と言ってもいいくらいです。
勉強はスポーツに比べて、はるかに身につけやすいし、上達し

やすいものです。

　こう言うと、「スポーツのほうがすぐに身につく」「スポーツのほうが勉強よりはるかに上達しやすい」と主張する人が大勢出そうです。本当にそうでしょうか。

勉強はスポーツよりもカンタン

　勉強ほど、やればやっただけ結果が出るものはほかにはありません。頑張れば、難しい問題でも解くことができます。

　努力（ただし、正しい努力）に比例して、成績を伸ばすことは可能です。これは、誰にも言えることです。

　確かに「勉強しても、うまくいかない」「やったけど、すぐ忘れてしまう」ということはあります。複雑だったり難解だったりすると、なかなか一度では覚えられません。

　それでもスポーツに比べると、はるかに短時間で覚えられるし、身につけられるものです。勉強が「苦手だ」と感じている人には信じがたいことでしょうが、これは本当のことです。もちろん、それには正しいやり方と、頑張りが必要ですが……。

　東京オリンピックで団体でも個人でもメダルを獲得した男子体操。その演技を見て、「私もできそうだ！」と思った人はまずいないでしょう。世界のトップクラスが見せる大技がカンタンにできるはずがありません。

　何年間にもわたって練習やトレーニングを続けてきたから、難易度の高い技を習得して本番でもミスなく披露することができます。それは、勉強の比ではありません。

私自身、鉄棒なら頑張って大車輪が１回できたくらい。あるいはバク転も１回くらい。それが関の山です。

この程度でオリンピックに出るなんていうのは、論外。スタートラインにすら立てません。

勉強はやればやるほど結果がついてくる

　勉強は半年とか１年間頑張ってやれば、難関校に合格したり難関資格を取得したりすることも可能です。 落ちこぼれでも東大に合格するマンガ『ドラゴン桜』のようなことは、現実的にあり得ることなのです。

　勉強が嫌いだったり苦手だったりする人には、ピンと来ないことでしょうが、勉強はスポーツに比べれば身につけるのが容易であり、また上達しやすいものです。

　頑張っても、なかなか成績が上がらない。何回やっても、少しも覚えられない……。そういう悩みを抱えている人には、もっと気楽に勉強に接してもらいたいのです。

　スポーツよりはるかにカンタン。勉強の世界でトップクラスに行くのは、スポーツの世界でオリンピックに出場するより、可能性も確率もかなり高いものです。

ポイント

　勉強はスポーツよりはるかにラクに身につけられる

勉強のヒントは、スポーツにあり

　勉強ができるようになるヒントは、実はスポーツにあります。**スポーツに学べば、勉強ができるようになる**。これは、この章で私が言いたいことです。

　私はアテネオリンピックの体操団体で金メダルを獲得した塚原直也選手にインタビューしたことがあります。塚原選手が言うには、毎日毎日6種目（ゆか・鉄棒・つり輪・平行棒・跳馬・あん馬）の練習をするとのこと。

　つまり、毎日オリンピックをやっているようなものです。違いは、競技会場か練習場かだけ。

　毎日6種目練習しているとしても、その日のコンディションによって微妙な違いが出るそうです。体重がベストより増えすぎても減りすぎてもダメ。筋肉がつきすぎるのも、NG。逆に筋肉が落ちてしまうと、ケガのモトになりかねないそうです。そのわずかな体重の違いが、競技の質に反映されてしまうと言っています。

　難易度の高い技を毎日毎日練習する。現役時代は、その繰り返し。それでも本番でうまくいかないこともあるし、メダルが取れる保証はありません。

　そんな過酷な練習を毎日やっていますが、苦にしていません。むしろ楽しそうにしています。

復習は勉強力をアップさせるカギ

　体操の練習を勉強に置き換えれば、毎日毎日本番と同じ試験を受けるようなものです。ほとんどの人はそんなプレッシャーには耐えられないし、試験を受けても高得点など出せるはずがありません。勉強のほうがはるかに「カンタン」と言った意味を分かってもらえたでしょうか。

　その勉強ができるようになるヒントが、スポーツにあります。スポーツはとにかく徹底して同じことを繰り返し練習します。

　勉強に置き換えると、毎日毎日やることであり、繰り返すことです。これを別の言葉で言えば、「復習」になります。

　この復習こそが、勉強力をアップさせる大きなカギ。**復習をしっかりやれば、誰でも勉強ができるようになります。**スポーツで上達するよりはるかに短い時間で成績がアップします。

　柔道で言う「打ち込み」は、稽古で相手にもぐり込む、相手を担ぐなどの一連の技に入る型を何度も何度も繰り返し行うものです。これを稽古中に100回、200回、300回とやっていきます。

　相手と組んでやることもあるし、相手と戦うことを想定しながら１人でやる場合もあります。「同じことを繰り返しやるのがつまらない」などと言っていたら、上達しません。

　オリンピック３大会連続金メダルの野村忠宏さんも対談の際、「背負い投げの打ち込みを徹底的にやった」と言われていました。打ち込みを何度も何度もするから実戦で相手を投げたり倒したりできるようになります。初歩的な練習方法ですが、

どんなに強い選手でも稽古をするときは必ず行います。

スポーツと音楽の共通点

　音楽でも、ピアノがうまくなるには、同じ曲を100回でも200回でも300回でも弾き続けます。「同じ曲を繰り返しやるのは飽きた」などと文句を言っていたら、上達しません。譜面が頭に入るほど繰り返すから、うまくなっていきます。

　このように**スポーツや音楽には、同じことを何回も繰り返してうまくなるという共通点があります。**このスポーツや音楽の上達の論理を勉強にもそっくり応用すれば、成績が伸びないはずがありません。

　もっとも、勉強はスポーツや音楽のように、100回も200回も300回もやる必要はありません。そこまでやらなくても成績が伸びるから、スポーツや音楽に比べるとはるかにラクです。

　勉強の場合、6回繰り返すだけで身につくようになります。もちろん、ダラダラとやっていては、効果はありませんが、しっかり繰り返していけば、確実にできるようになります。その繰り返しこそが、復習です。

ポイント

100回でも200回でも繰り返しやるから上達する

脳はなかなか覚えてはくれない

　復習と言うと、小学生がやるような地味な勉強法だと思っている人は多いようですが、そんなことはありません。

　復習をおろそかにしていると、ロクな結果にはならないものです。テストで高得点を取れないし、試験で合格することも難しくなります。

　習ったり覚えたりしたものを、あとでもう一度やるから、復習を「面倒くさい」とか「意味がない」と早合点する人は多いですが、それが間違いのモト。一度で覚えられるほど、人間の脳は賢くできてはいません。

「エビングハウスの忘却曲線」というものがあります。ドイツの心理学者であるヘルマン・エビングハウスは時間とともにどれだけ忘れるかという実験をして、それを数値化しました。これによると、**人間は１日経てば覚えたことの３分の２を忘れてしまいます。**

　ちなみに、数値はこのようになっています。

・20分後……記憶した内容の42％を忘れる

・１時間後……記憶した内容の56％を忘れる

・９時間後……記憶した内容の65％を忘れる

・１日後……記憶した内容の66％を忘れる

・6日後……記憶した内容の75％を忘れる
・1カ月後……記憶した内容の79％を忘れる

　勉強しても「なかなか覚えられない」と頭を抱えてしまう人は、別に忘れっぽいわけでも記憶力が悪いわけでもありません。**人間の脳がカンタンに記憶できないようにできている**のです。忘れっぽいのは、あなただけではないから、安心しましょう。これは、誰でも同じです。

　もっとも、すぐに忘れてしまうのは、困ったことです。これでは成績が上がらないし、試験に合格するのも難しくなります。その**忘れっぽい脳を「記憶する脳」に変えてくれるのが、復習**です。

「九九」を記憶できたたった１つの理由

　覚えたことを後日おさらいすれば、思い出すことができます。いつまでも覚えていられます。その格好の例が、「九九」です。
「ににんがし、にさんがろく、にしがはち……」
　このように小学生のとき、九九を暗唱して覚えたものです。友だちと「３×８は？」「24」とクイズのように出題して、答えを言い合ったりしたものです。
　九九を今でも覚えていられるのは、繰り返し暗唱したからです。何十回、何百回と繰り返し唱えたから暗記できるようになり、大人になっても忘れずにいられます。
　よほどのことがない限り、死ぬまで九九を忘れることはない

でしょう。いいえ、忘れるほうが難しいくらいです。

　大人になった今では「九九なんてカンタンだから覚えられる」と思う人も多いでしょうが、そうでもありません。確かに単純な数字の計算ではありますが、繰り返すから覚えることができます。

　カンタンだから覚えられる。難しいから覚えられない……。そういう問題ではありません。

　その証拠に、自分の携帯電話の番号を1回で覚えられた人などいないのではないでしょうか。携帯電話の番号は、11ケタの数字の羅列で構成されています。覚えようとすれば、誰でもできます。

　出てくるのは0から9までの10の数字だけで、難解さは皆無。それでもその数字の羅列を覚えるまでには何回か復唱したはずです。カンタンな数字が並んでいるものでも覚えるとなると、それなりの労力と気力がいります。やはり覚えるには九九のように暗唱するしかないのです。

勉強のパフォーマンスを上げる

　繰り返し暗唱しなければ、忘れてしまう。繰り返し暗唱するから、いつまでも覚えていられる。この事実からも復習の大切さは理解できるはずです。

　それでも復習する気にはなれないとすれば、過去にやっても、効果があまりなかったから……。復習したのに覚えたことが全然身につかず、すぐ忘れてしまったという苦い体験があるから、

積極的になれないのでしょう。そういう人こそ、復習をやるべきです。

おそらく身につかなかったのは、効果的なやり方を知らなかったから……。なんとなく教科書やノートを見直したりするだけでは、覚えたことが身につくものではありません。自己流でやるのは、限界があります。

やったことが身につく復習。成績が上がる復習。試験に合格する復習——。この本では、それを目指しているし、お伝えしていきます。

スポーツでは科学的なトレーニングを取り入れることで、選手のパフォーマンスが飛躍的に向上することがあります。勉強でもそれを目指すべきです。私が実践したり学生に試してもらったりした効果のある勉強のやり方を採用すれば、本書を読んだ人も勉強のパフォーマンスがグーンと向上するはずです。

復習を「面倒くさい」と思っているかぎり、よほど記憶力がいい人でなければ、成績が上がることはありません。**面倒くさいと思っている人にこそ、復習をやってもらいたい**のです。そうすれば、目に見えて効果がありますから……。

ポイント

「九九」のように暗唱して覚えれば、いつまでも忘れない

復習は勉強の王道

　復習とは「ペンキ塗り」のようなものです。壁にペンキを塗るときに１回だけ塗るということは、まずありません。はがれやすく、また何かがぶつかったときに傷がつきやすくなるから、そうならないように重ね塗りします。

　１回より２回。２回より３回。３回より４回……。こうして重ね塗りをしていくと、水に濡れてもはがれにくくなり、何かにぶつかっても傷がつきにくくなります。

　この重ね塗りこそが、復習です。１回より２回。２回より３回。３回より４回と重ねて勉強していくことで、記憶力が強化されます。忘れにくくなるし、身につきやすくなります。

　何回もやるのは、確かに時間も手間もかかります。できるなら１回で済ませたいですが、それでは時間が経てば経つほど忘れてしまいます。

　忘れるのを防ぐには、繰り返すこと。１回より２回。２回より３回。３回より４回……。ペンキ塗りと同じように、**何回も繰り返すことで覚えたことを忘れなくなっていきます**。それは、復習したからにほかなりません。

「復習は楽しい」と教えてくれた孔子

　復習の大切さを訴えた人は、歴史上の人物にはたくさんいます。2500年前に復習について語ったのは、孔子です。『論語』には、次のような文章があります。

「子曰く、学びて時に之を習う。亦説ばしからずや」

　この意味は、「学んで時おり復習する。なんと喜ばしいことだろうか」です。

　学んだことは時間をおいて、しばしば復習していくもの。復習することは楽しいことである──。

　孔子は、そう言っています。復習することは、実は、楽しいことです。

　その楽しみを知らないでいるのは、人生における大いなる損失です。だからこそ私は本書で「学んだら、復習しましょう。復習すると、勉強がもっと楽しくなりますよ」と何度も力説していきます。

　復習は楽しい──。このことは、勉強における大いなる発見です。

　復習の楽しさに目覚めたら、ますます勉強が好きになっていくでしょう。同時に、誰に言われるまでもなく、自然に復習するようになります。

同じ本を11回も読んだ福沢諭吉

　もう１人、復習の大切さを教えてくれるのが、福沢諭吉です。
福沢諭吉の『福翁自伝』には、次のような文章があります。

　「歴史は史記を始め前後漢書、晋書、五代史、元明史略と云う
ようなものも読み、殊に私は左伝が得意で、大概の書生は左伝
十五巻の内三、四巻で仕舞うのを、私は全部通読、凡そ十一度
び読返して、面白い処は暗記して居た。夫れで一ト通り漢学者
の前座ぐらいになって居た」

　福沢諭吉は、ふつうの学生が３、４巻で挫折してしまう『左
伝』15巻を11回も読んで、大事なところは暗記して、いっぱ
しの漢学者くらいの知識や教養を身につけたと言っています。
『左伝』とは孔子が編纂したと言われる中国の歴史書『春秋』
の注釈書の１つで、『春秋左氏伝』のこと。
　**ものごとを身につけるには、繰り返しやっていくのが一番確
実で、また手っ取り早い方法**です。その意味では、復習は、勉
強の王道。それを教えてくれるのが、孔子であり福沢諭吉です。

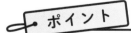

　　復習という勉強の王道を行こう！

やればやるほど量が少なくなる

　勉強にとって、復習が大事。このことはしっかり理解していただけたことでしょう。

「確かに復習は大事だけど、やはり繰り返しやるのは面倒くさいし、一からやり直すのはつまらない」……

　まだこんなわだかまりを持っている人がいるとすれば、耳よりの話をします。復習は面倒くさいものでもつまらないものでもありません。そう思うのは、復習というものを誤解しているから……。

　おそらく多くの人が復習について「やったところをもう1回やる」という認識を持っているに違いありませんが、これは的外れです。隠された真実を知らないでいるにすぎません。

　復習とは手早く、かつ手短にできるものです。その真実を押さえておけば、面倒くさいこともなくなるし、「つまらない」と感じることもないでしょう。復習の知られざる真実を1つ1つご紹介しましょう。

　最初の真実は、やればやるほど量が少なくなる。**復習とは覚えたことを何度も繰り返すことですが、必ずしも全部やる必要はありません。**

　しっかりやれば、2回目以降はやる量も範囲も少なくなります。こう言うと、「目からウロコ」の人もいそうですが、2回

目以降は1回目に比べるとはるかに少なくなるので、むしろ「ラクになった」と感じる人もいるかもしれません。

理解したところは飛ばしてもいい

　たとえば、500ページあるテキストを読み込む。これを全部読み通すのは、最低限やらなければならないことです。

　ただし、それは1回目だけ。2回目以降は500ページ読む必要はありません。こう言うと、「本当にそれでいいの？」と拍子抜けしそうな人もいそうですが、大丈夫です。

　1回目は500ページを読んでいきますが、その中で**理解しているところは次回以降、飛ばしてしまってかまいません。すでに理解しているのですから、繰り返しやる必要はない**ということ。これで2回目以降に読むところはだいぶ減るはずです。

　1回目のときに「まだ理解していないな」「よく分からないな」というところがあれば、そこに「△」でしるしをつけておきます。そうして2回目はそのしるしのついたところだけを読むようにします。

　仮にしるしがついたところがトータルで250ページあるとすれば、2回目は半分だけ読めばいいということになります。1回目の半分で済むということですから、かなり時間も手間も節約できます。

　これなら2回目をやる前に「面倒くさい」と思うこともなくなります。また理解しているところはもう読まなくていいわけですから、「つまらない」と感じることもないはずです。

理解できないところは繰り返しやる

　2回目に読んでもまだ「理解できないな」「難しいな」と思ったところには、「△」でしるしをつけます。2回読んで理解できないところには、2つのしるしがついています。

　同様に、3回目にはこの2つのしるしがついているところだけを読んでいきます。250ページのうち半分理解できたとするならば、3回目に読むのは125ページ。1回目に比べると、読む量は4分の1になっています。

　3回読んでもまだ「難しいな」と思ったところに「△」でしるしをつけていきますが、理解できないところには、3つのしるしがついているということ。3回読んで、分からなかったところのうち半分が理解できたとすれば、4回目はもう半分を読んでいきます。ページで言うと、63ページ。1回目に読んだときの8分の1になっています。

　4回目は「△」のしるしが3つついた、理解できないところを読んでいきます。ここでも「難しい」と思ったところにしるしをつけていきますが、新たに加える「△」はかなり少なくなっているはずです。

　63ページのうち25ページくらいになっているとすれば、5回目はそこだけ読んでいきます。1回目に比べると、20分の1になっています。

　5回目にはその25ページ分だけ読んでいきますが、さすがにここまで来ると、もう「難しい」と感じることはなくなって

いるのではないでしょうか。もちろん、まだ「難しいな」と思ったところに「△」でしるしをつけていって、6回目にそこだけ読むようにします。これで復習のコンプリート。

覚えたことを何度もやるのはムダ

　このようにすでに**理解したところは「もう覚えた」ということでそれ以上は繰り返さない。まだ理解していないところはその後も繰り返しやっていく**——。

　こういうやり方をしていけば、すべてをやる必要はないし、効率もよくなっていきます。「面倒くさい」「つまらない」がなくなります。

　復習はすればするほど、効率がよくなっていきます。これは、多くの人が見逃していることです。

　得てして真面目な人ほど、「ちゃんと復習をしなきゃ」と思って、覚えているところまで読み直して、いたずらに時間をかけすぎています。言い方は悪いですが、**すでに覚えているところをやるのは「ムダ」です**。その時間をまだ覚えていないところをしっかり身につけるほうに割いたほうがいいです。

　コストパフォーマンスがいい勉強法——。それが、復習です。

　　復習で勉強のコストパフォーマンスを上げていく

復習の真実②

その日にやるのがいい

世の中には、「積ん読」をしてしまう人がいます。仕事の帰りに書店に行って「これは面白そう」「これも押さえておいたほうがいいな」と、ついついたくさんの本を買ってしまい、机の上に大量に積んでおいて、いつでも読める状態にしてあるにもかかわらず、忙しさのあまり「明日にしよう」「時間があるうちに」と言って、ズルズルと先送りしてしまっています。

気づけば、机の上に本を積んだままになって、1ページも読んでいない。そのうちにホコリがたまっていく……。

そんな「積ん読」が習性になってしまっている人がたくさんいます。多忙なビジネスパーソンに多いようです。

この「積ん読」を解決する方法は、ズバリ、買ったその日に読むこと。その日に全部読む必要はありませんが、バーッとでも通して読むようにします。

とりあえず1冊15〜20分で「さばく」かんじです。これだけで内容は把握できるし、「面白そうだな」「もう少し詳しく知りたいな」と思ったら、その日のうち、あるいは翌日の早いうちにかなりのページを読むようになるでしょう。それは「読みたい」というモチベーションがあるから。

復習は初めが肝心

　モチベーションがあれば、どんなに忙しくてもスキマ時間に本を開いて読むようになります。また30分とか40分とかの時間をつくって集中して本を読みたくなってきます。このように「その日にやる」のは、行動の大きなとっかかりになります。

　参考書や問題集を買ってきたら、その日のうちに始めること。当日は、目次だけ読むのでもいいし、全体をバーッとながめるだけでもいいです。

　買ったその日こそ、モチベーションが一番高いのですから、その勢いのまま勉強に突入していきます。

　もし「今日はゆっくり休んで、明日から本格的にやろう」なんて思ったとしたら、見通しが甘すぎます。明日になれば、仕事が急に立て込んだりして勉強する時間が取れなくなる可能性があります。これでは「積ん読」と同じで、いつの間にかやらなくなってしまうことでしょう。

　別に何かの教材を買ってくるわけではなくても、**「復習をしたほうがいいな」「復習しなきゃ」と思ったのであれば、始めるのはその日から。**やる気が高いうちにすぐに始めてしまいます。

　何ごとも初めが肝心。

　やる気が高いうちにすぐにやることが長く続いて、かつ成功させるコツ。

　勉強もそうあるべきです。

やる気が高いうちに始めて自分の生活のリズムになれば、習慣化します。習慣化すれば、やらないでいるほうが気持ち悪くなるものです。その日のうちに始めるのは、最大の特効薬です。

ポイント

モチベーションが高いうちに始めて習慣化させる

モレやヌケがあってもいい

　英単語を試験までに2000語覚える。受験生には避けて通れない関門ですが、これをどのように覚えるかは、人によって大きく変わってきます。

　一般的には、１日に20語覚えるといったところでしょうか。これだと100日かかることになりますが、試験までに３カ月以上あるとすればかなり余裕があります。数は多いですが、それでもムリなく覚えられるような気がします。

　もっとも、100日かけて2000語を覚えようとするのはなんとかできそうに見えても、現実はそううまくはいかないものです。懸念されるのは、100日もモチベーションが続かないこと。

　10日かけて200語で、全体の10分の１。これをワンタームとすれば、あと９タームもやらなければなりません。本当は200語覚えただけでもスゴイことなのに、それほど達成感は得られないのが残念なところです。

　半分の1000語まで来るのは、50日で約１カ月半。それだけの時間をかけたのに「半分しか覚えていない。まだ半分もあるのかー」と軽い嫌悪感を覚えそうです。残りの覚える量の多さに気が遠くなって、挫折してしまいそうです。

　真面目な人には向いているやり方かもしれませんが、効率が悪いのは否めません。それよりは**短期間で大量に覚える方法の**

ほうがはるかに効率的です。

覚えられない単語があっても、気にしない

　2000語覚えなければならないとしたら、私ならこうします。期間は2週間。1日に200語ずつ覚えるようにします。こう言うと、「記憶力がいい人だからできるんですよ」という反発が起こりそうですが、そんなことはありません。やれば、誰でもできます。

　1日に200語ですから、当然1回で覚えられるわけではありません。ゆえに何回もやることにします。

　まず1日目は200語をザーッと覚えようとしますが、肝心なことは**モレやヌケがあっても気にしない**こと。とにかく200語を繰り返し覚えていきます。

　なかなか覚えられない単語もあるでしょうから、それには「△」や「？」などでしるしをつけていきます。そうした覚えにくい単語が10語とか20語くらいはあるでしょうか。

　2日目は、次の200語を覚えていきます。こちらも繰り返し覚えていって、なかなか記憶しにくい単語に「△」や「？」などをつけていきます。

　3日目以降も200語ずつ覚えていくと、10日目で2000語をひととおり学んだことになります。この時点で覚えた単語は、かなりの数に上っていることでしょう。

　そうは言っても、モレやヌケ、言い換えれば、なかなか覚えられなかった単語もまだ残っています。それらは11日目以降に

まとめて取りかかります。1日ごとに20〜30くらいあるとすれば、それは200語〜300語くらいに達します。残りの日にちでこの覚えきれなかった単語をしっかり記憶するようにしていきます。やり方はそれまでと同じで、繰り返し繰り返しやること。

「2週間で2000語なんてムリ」

　ここまで読んでそう思う人も多いでしょうが、それはやっていないから。やってみれば「できない」ことはありません。もし2週間が難しいなら、1カ月2000語にしてもいいです。少なくとも100日かけて2000語を覚えるよりはるかに速く記憶できることでしょう。

モチベーションは2週間しか続かない

　私が「2週間」と限定したのは、モチベーションが続くのがそれくらいだから。体験的に言えることですが、**ちょっと大変なことでも2週間くらいなら、頑張ってやれば乗り切れるもの**です。それ以上になると、「もうムリ」と途中で投げ出してしまう可能性が大です。

　2週間で2000語と言うと、ハードルが高いように見えますが、高いモチベーションがあれば、難なくクリアできます。逆に**2週間で2000語を覚えてしまえば、あとあとスムーズにいきます**。勉強のペースがドンドン速くなって、スイスイとレベルアップできます。

　大量に覚えなければならないときは、モレやヌケを気にして

いてはダメです。繰り返していくうちに、そのモレやヌケが少なくなっていきます。むしろモレやヌケを気にして先に進まないでいることのほうがデメリットになります。

ポイント

単語や熟語は短期間で大量に覚えるようにする

理解できていないところが分かる

　復習すると、ハッキリ分かることがあります。それは、自分の理解力。自分はこの教科の何を理解していて、何が分かっていないのかは、復習することでようやく判明します。

　授業を聞いたり教科書を読んだりして、「なるほど、こういうことか」と分かったとしても、それを本当に「理解した」かどうかは怪しいものです。あるいはキーワードだけを覚えて、その意味までしっかり把握できていないこともあるでしょう。これらは「理解したつもり」になっているだけで、実際には内容をまったく理解できていないケースに相当します。

　なにげなく「理解」と言いましたが、この言葉は意外とつかみどころがないものです。想像以上に奥が深い言葉です。

　理解とは、「覚えたことを頭の中できちんと整理して、言葉にして説明できること」です。

　私自身は、こう定義します。授業で聞いて、「なるほどな」と思ったとしても、それをあとで誰かに説明できなければ、真に「理解した」とは言えません。それは、「理解した気になっている」だけです。

　ちなみに、東京大学薬学部教授で脳研究者の池谷裕二さんも、著書『記憶力を強くする』（講談社）で次のように述べています。

「自分がしっかり理解していなければ、人に説明することはできません。つまり、人に説明してみることで、自分が本当に『理解』しているのかどうかを確認することもできるのです」

　この「理解した」と「理解していない（理解した気になっている）」が判明するのが、復習です。**復習をすれば、すでに習ったこと、覚えたことも、本当に理解しているのか、それとも理解していないのか、どちらなのかがハッキリ分かります。**
　逆に、復習をしなければ、自分では「理解した」と思っていても、現実には「理解していない」状態であることが明らかにはなりません。この状態で試験に臨んだら、高得点が取れないか、合格できないという憂き目に遭うでしょう。

「理解していない」のは悪いことではない

　自分の理解力の状態がハッキリ分かるのが、復習です。復習することで「理解していない」ところがたくさんあったとしても、「これしか覚えていないのか」とガッカリしたり「やっぱり頭が悪いんだ」と自己否定したりするのは、過剰反応です。「理解した気になっている＝理解していない」ところが分かったのですから、それを改めて覚えればいいだけ。
　自分自身の理解力の状態が分かるのは、いいことです。もし「理解していない」まま試験に臨んだら、玉砕することが必至ですから……。
　復習することは、「理解していない」ところがどれだけある

かを把握すること。このことをマイナスにとらえることはやめましょう。

すでに理解したところはそれ以上はやらなくてもいいのですから、「理解していない」ところを重点的にやるようにします。理解しているところも理解していないところも併せて勉強するよりはるかに手間も時間も少なくなるので、効率的かつ効果的です。

「理解していない」ところは、自分自身の弱点ではなく、強化すべきところ。そう思えば、なるべく早めに理解力を把握して、強化すべきところに特化して集中的に勉強するようになります。

自分がまだ理解できていないところをきっちりやるのが、復習。それによって自分自身の真の理解力がアップします。

ポイント

「理解していない」ところを強化していく

レベルアップできる

　私がスポーツをしている学生に勉強を教えるときは、とにかく繰り返しやることを力説します。

　難しい。つまらない……。

　これは、私が実際に指導した野球部の学生が勉強に対して持つイメージです。野球部に入っているくらいですから、「勉強よりもスポーツのほうが得意」という学生ばかりで、最初のうちは勉強には熱心に取り組もうとはしません。

　とは言え、勉強しなければ卒業できないので、私が指導することになったのですが、**面と向かって「勉強しろ」「復習しろ」と言っても、やる気になるものでもありません。**彼らにやる気を持ってもらうために、ある工夫をします。

　それは、勉強を野球にたとえて説明すること。たとえば、こんな具合に……。

　バッターは打てるようになるために、素振りをします。1日に何百回、何千回。しかも毎日。素振りはバッティングの基本なので、打てる選手も、あまり打てない選手もどちらもやります。

　もっとも、素振りだけをしていれば打てるようになるわけではありません。実際に球を打たなければ、打撃力はアップしません。至近距離から緩く球を投げてもらって打つトスバッティ

ングをします。これで球を打つ力が向上します。

不要な練習は1つもない

　これだけでは試合でピッチャーの球を打つには、不十分。今度はバッターボックスに立って、マウンドから打撃投手に緩い球を投げてもらって、それを打つ練習をします。これをすることによって試合で打つ感覚をつかめるようになります。

　その次はバッティングマシンで速い球を打つ。これらの練習は、野球部の学生にとって必要なことであり、自分をレベルアップさせるもの。不要な練習は、1つもありません。

　試合に備えて、1つ1つレベルアップした練習を行っていって、打撃力を磨いていきます。この野球部の学生がやっているレベルアップの練習は、勉強にもそっくり応用できます。

　私は彼らに勉強を教えているときに、「これは素振りだよ」「これはトスバッティング」「これは打撃投手の球を打つ練習」というように、1つ1つの項目に意味を持たせるようにします。そう言われると、「うまくなるためにやらなければならないことなんだ」と理解して、勉強に対してモチベーションを高めてくれます。

　彼らには「復習するように」と口を酸っぱくするほど言っていましたが、それは繰り返しやることに抵抗がないからでもあります。素振りでもトスバッティングでも、何回でも何時間でも彼らはやります。それが、自分の打撃を磨くうえで欠かせないものだと知っているから……。

たとえ同じ練習でも何千回、何万回もやらないと、試合で打てるようにはなりません。試合で打ちたいから、同じことをひたすら繰り返していきます。

　勉強でも「繰り返しやらないと身につかないんだな」と分かれば、野球の経験があるから、たとえ最初は「つまらない」と思っていてもやるようになります。そのうちに理解できるようになると、「これって面白い」と思えるようになるものです。

　1年間教えていると、勉強が好きではなかった学生でも、「フロイトって面白いですね」と私に言ってくるようになります。彼らは野球が好きで得意ではあっても、勉強についてはそのやり方をあまりよく知らなかっただけ。**やり方さえ分かれば、勉強もできるようになる**のです。スポーツのやり方を応用すれば勉強ができるようになるという、格好の見本です。

やり切るから自分のものになる

　問題集でも参考書でも、最初に難しいことが書かれていて、だんだんとやさしくなっていくという構成にはなっていません。どんな問題集、参考書もその逆で、やさしいものから始まって、だんだんと難しくなっています。

　これは、先ほど挙げた野球の打撃の練習と同じです。最初は素振りから始まって、緩い球、そして速い球を打つようにしていって、だんだんとレベルアップしていきます。

　復習をするときも、やさしいところから始めていって、最後のほうに難しいところが残るようになっているので、やること

自体がレベルアップになります。**すべてを終えたときには、ひととおりマスターしたことになるので、確実に自分自身の実力がレベルアップしています。**

　やっているうちは「身についているのかな？」と不安になることもあるかもしれませんが、**やり切ったときには、確実に自分のものになっています。**それは1つの問題集や参考書をやり終えたということですから、やる前に比べると間違いなくレベルアップしています。やり終えたときには、達成感を得ていることでしょう。

　復習することでレベルアップできる——。その手応えは、やり終えたときにしっかり感じるものです。

　ポイント

やさしいところから始めて、徐々に難易度を上げていく

予習と復習はワンセット

「予習と復習はどっちをやったほうがいいですか？」

　私自身もよく聞かれますが、勉強している人にとっては悩ましい永遠のテーマと言えそうです。結果を出したい人にとっては、藁にもすがるような思いで聞いてきます。

　あなた自身は予習派でしょうか。それとも復習派ですか？

　私の答えはもちろん、決まっています。それを言う前に、両者の違いについて触れておきましょう。

　予習とは、これから習うことを事前にひととおり頭に入れておくこと。予習をしておけば、授業を聞いたときに、先生の言っていることが理解できるようになります。

　もし予習をしていなければ、当日知識ゼロの状態で授業に臨むことになりますから、チンプンカンプンになる恐れもあります。分からないところがあっても、先生は止まってくれませんから、「？」の状態で授業がグングン進むことになります。

　授業が先に進んでいくうちに「ああ、なるほど。そういうことなのか！」と理解できるようになることもないわけではありませんが、なんだか分からないまま終わってしまう可能性が大です。理解できないまま授業が終わってしまうと、追いつくのが大変です。

　次の授業までに理解しておかないと、同じことが繰り返され

てしまいます。予習をしないでいると、ずっと理解できない状態が続くことになりかねません。

　その意味では、**予習はとても大切。しっかりやっておく必要があります。**

復習するから授業内容を理解できる

　次に、復習。こちらは**すでに習ったことが頭に入っているかどうかあとで確認すること。**復習をすることで、授業中に先生の言っていたことがより深く理解できるようになります。

　もし復習をしていなければ、授業で習ったことを忘れかねません。次の授業までに忘れてしまったとしたら、せっかく覚えたことがムダになってしまうという残念な結果になります。

　授業が先に進んでいくうちに「そう言えば、これはどんなことだったっけな？」と、すでに習ったことを調べ直すことになり、リアルタイムの内容が頭に入ってこなくなります。こちらもなんだか分からないまま授業が終わってしまう可能性が大です。

　理解できないまま授業が終わってしまうと、置いてけぼりになっていきます。次の授業までに理解しておかないと、また同じことが繰り返されるだけ。復習をしないでいると、理解できないままの状態が続きかねません。

　その意味でも、**復習はとても大切。しっかりやっておく必要があります。**

予習することで全体像を把握できる

　予習をやるほうがいい。反対に、復習をやるほうがいい——。

　このどちらかと答えた人は、申し訳ないですが、不正解です。正解は、どちらもやる。どちらも大切です。

　予習も復習も両方やる。勉強をするにおいて、「どちらかだけでいい」なんてことはありません。

　予習しかしていない人は、復習をしっかりやること。復習しかしていない人は、予習をしっかりやること。こうハッキリ言っておきます。

　「復習」がテーマなのに、「予習もやるの？」と思った人もいそうですが、そういう人は両者の目的を正しく理解していません。

　予習の目的は何かと言えば、これからやろうとすることの全体像を把握すること。

　「明日の授業はこういうことが行われて、これがメーンテーマになるのかな」

　このようにこれから行われる授業の全体像を把握できていればいいので、理解まですする必要はありません。理解までしようとすると、面倒だし時間も労力もかかりすぎてしまいます。

　予習でするのは、全体像の把握まで。その状態で授業を受ければ、先生が説明してくれることを理解できるようになります。

　予習の段階で完璧に理解しなくていいのは、当然ながら、「ここは分かるけど、これは難しいな」と思えるところが出てくる

から。分かりにくいところがあっても、予習の段階では深掘りしないでおきます。

　その代わり、授業では特に分からないところをじっくり聞くようにします。高い集中力をもってして先生の説明を聞けば、分からなかったところも理解できるようになるでしょう。

　予習で分かりやすかったところは、サラッと聞く。分からなかったところは重点的に聞く。

　このようにすれば授業時間が長くてもメリハリが生まれて、疲れたり飽きたりすることがありません。理解できた状態で、授業を終えることができます。

予習をすると、授業が復習になる

　予習をするメリットも挙げておきましょう。予習をすると、「授業そのものが復習」になります。

　しかも先生の解説というおまけまでついています。これほど有意義で豪華な復習はないと言ってもいいくらいです。

　内容を事前にある程度把握していますから、授業で先生の話を聞くことで理解できるようになります。**予習で分かりにくかったところに「△」や「？」などのしるしをつけておき、授業中に先生の話を聞いて理解できたら、今度は「〇」をつけます。**これで復習完了。

　もし授業を聞いてもまだ分からないところがあったとすれば、残った「△」や「？」などのしるしをつけたところを復習します。復習の量も範囲も大幅に減るはずです。

予習をすると、授業が復習になる——。勉強そのものを効率的にできるようになるので、これは大変画期的なことです。

ここまで見てくると、「予習も復習もどちらも大切だ」と理解してもらえたのではないでしょうか。どちらか１つしかやってこなかった人は、早速、両方やるようにしてみましょう。

予習と復習はワンセット。

車の両輪みたいなものですから、どちらも欠かすことはできません。**両方やることで成績がアップするし、試験合格を確実なものとすることができます。**

予習をやる２つのタイミング

　予習と復習はどちらも大切。「どちらもやるべきだ」と述べました。両方やると「負担が大きい」と思う人もいそうですが、そういう人には効果が上がる予習のタイミングについて触れておきましょう。

　予習をやるといいタイミングは、２つあります。

①前日にやる

　授業の前日に教科書やテキストの翌日やる範囲をザーッとながめて、全体を把握すると同時に、キーワードとなりそうなところを頭に入れておきます。前日では、「だいたいこういうことをやりそうだな」と確認する程度で、それほど根を詰めないのがいいでしょう。

「もっと前にやったほうがいいのでは？」

　そう思う人もいそうですが、前すぎると逆効果です。エビングハウスの忘却曲線にあるとおり、１日経てば、66％も忘れてしまいます。間隔が空きすぎると、予習をしたこと自体の意味がなくなります。

　前日に予習をしておくと、翌日の授業で「復習」することになりますから、忘れかけたところでもう一度頭に入れ直すことになります。前日に予習をするのは翌日の授業での復習で記憶

の定着率が高まるから。極めて理にかなった学習法です。

②手にしたときにやる

　教科書や参考書を買ったり受け取ったりしたとき──。これが、まさに予習をするタイミングです。

　すぐにやるのは、「モチベーションが高いうちだから」なのですが、これは予習も同じ。真新しい教科書や参考書を手にして、「どんなことが載っているんだろう？」と興味津々にパラパラめくりたくなりますが、それだけで終わらせてしまうのはもったいないことです。

　新しいものを手にしたときは、「勉強しよう」「これをマスターしよう」というモチベーションが非常に高まっています。この**モチベーションの力を利用して、パラパラとめくるだけでなく、最初から最後までザーッと読み通してしまいます。**

　もちろん、1字1句読み込む必要はありません。キーワードを拾い読みしながら、最初から最後までひととおり読んでいきます。1時間で終わらせてもいいし、1日かけてもいいです。

　どれだけの時間と労力を割くのかは、その人の自由。手にしたときに教科書や参考書を読み通していれば、全体像を把握できます。

　「1年間（今期）はこういうことをやっていくんだな」

　おぼろげにでも把握できれば、余裕も持てるようになります。**まだほとんどの人が読んでもいない段階で、ザーッとではあっても「1回通しで読んだこと」は自信にもつながります。**精神的にかなり優位に立って、これから始まる授業に臨めるよう

になるでしょう。

教科書を全部読むと、流れがつかめる

　最大のメリットを挙げると、特に歴史の授業で顕著ですが、関係性や流れが分かるようになること。年代の古い順から授業が始まると、古い事件や出来事を先に学んで、あとから新しい事件や出来事を習うことになるので、関係性や流れがピンと来ません。

　ところが、１回通しで読んでいると、古い事件や出来事が出てきたときに「これがのちのあの出来事の伏線になっているんだな」と関係性や流れをしっかりつかめて、理解が深まります。前の出来事とあとの出来事をセットで覚えられます。

　先に全体を把握しているから、授業で出たことと、あとから習うことを関連づけて覚えられるようになります。まさに一石二鳥。効率的に記憶できます。

　これだけでも十分なメリットがありますが、付随的なことをもう１つ言っておきます。それは、**授業が途中で終わったとしても知識を１回頭に入れた状態にある**ことです。１年間という長丁場の授業をやるとなると、最初はゆっくりしたペースで進めがちです。

　理解してもらおうとしてじっくり説明していくと、本来なら１回で終わるところを２回とかに分けてやらざるを得ません。このようにゆっくりやっていくと、授業のペースが上がらず、最後まで到達できないという事態に陥ります。最後の授業が終

わったときに教科書で30ページとか50ページくらい残してしまうのは起きてはならないことですが、現実はなかなか思いどおりにいかないものです。

このとき翌日の分しか予習していないと、残った部分の知識は何も頭に入っていないことになります。それに対して、ザーッとでも通して読んでいると、断片的な知識が残っていて、残りの部分は独自に復習することで記憶できるようになります。

授業はライブですから、教科書どおりに進めていくのは、なかなか難しいものです。これは、教壇に立つ者の実感です。

授業で習っていないからと言って、入学試験にその部分が出題されないとは言えません。一度も目に通していないとすれば、試験のときに難儀します。ザーッとでも通して読んでおくと、復習するときに理解が深まるだけでなく、授業でやらなかったときのセーフティネットにもなります。

ポイント

前日と手にしたとき。予習には、2つのタイミングがある

「復習マシン」になる

　復習とは、習ったことをあとで繰り返すことで記憶に定着させることです。人間は一度覚えたことでも1日経てば半分以上忘れてしまいますから、記憶にとどめておくには繰り返しやっていくしかありません。

　やればやるほど、記憶に定着していきます。すでに覚えたことは繰り返さないで、まだ記憶に定着していないところだけをやるようにすれば、回を重ねるごとにやる量が少なくなっていきます。やればやるほど、覚えるべきことが減っていって、ラクになります。

　回数と覚える量は、反比例。5回、6回とやる度に、覚えるべき量は少なくなっていきます。

　覚えたつもりだけど、思い出せない。理解したつもりだけど、理解していない……。

　復習をすることで、自分自身がまだできていなかったことが明らかになります。それは、改善点です。その**改善をしていくことで、記憶として定着し、かつ理解するようになります。**

　復習とは、このようなフィードバック機能を持っています。復習しなければ改善点も見つからないし、理解しているのかどうかあやふやなところも明確化できずにいます。

　分からなかったことがあるとガッカリすることもあるでしょ

うが、それによって改善するチャンスが生まれたのですから、「ラッキー！」と思ったほうがいいです。もし復習をしないままテストでその分からなかったことが出題されたとしたら、太刀打ちできずに終わる可能性もあるのですから……。

理解できることが喜びになる

　復習をすることで、これまで分からずにいたことが理解できるようになります。3回やっても4回やっても分からなかったことが、5回、6回とやってようやく理解できたときは、「なるほど、こういうことか！」と、飛び上がりたくなるほどうれしくなります。ガッツポーズする人もいるでしょう。

　復習とは、理解のリターンマッチ。または「分からない」という汚名返上。

　復習で分からないこと、難しいことを理解するのは、喜びです。それは記憶が定着したのみならず、自分自身が1つ成長したということ。これまでより階段を1つ上ったような喜びや達成感を得られます。

　まさに快感です。孔子の言う「亦説ばしからずや」です。

　やればやるほど、この快感を得られるのですから、もはや「面倒くさい」とか「つまらない」と文句をタラタラ言うのはダサすぎます。

　授業が終わったら、すぐに復習。時間をおいて、また復習。やる度に快感を得られるのですから、復習を何回もやる好サイクルに入っていきます。

復習→分からないところが発覚→復習→また分からないところが発覚→復習→三度分からないところが発覚→また復習……

　この好サイクルを繰り返すことで、記憶に定着し、なおかつ理解できないところが減っていきます。知識の量が格段に増えていきますから、テストを受けても高得点を取れるようになるし、試験でも合格ラインをクリアできるようになります。

スキマ時間にも復習する

　復習の好サイクルをドンドン回していくと、もはや授業を受けただけでは満足できなくなります。いつでもどこでもどんなときでも復習するように変化していきます。

　ちょっとしたスキマ時間ができれば、「復習しよう」と、単語カードを取り出す。通勤や通学の時間には、ノートを開いて分からなかったところを重点的に読み直す……。

　このように自動的に復習をするようになります。気づいたときには復習だけをトコトンやるようになる「復習マシン」のようになっていることでしょう。

　ここまで来れば、もはや復習しないではいられない状態になっています。**「復習マシン」になって勉強すれば、テストや難関試験を前にしても怖いものはなくなります。**

　復習は、必ずあなたの身になります。あなたがやらないで復習を裏切ることはあっても、復習があなたを裏切ることは絶対

図1　6回復習のプロセス

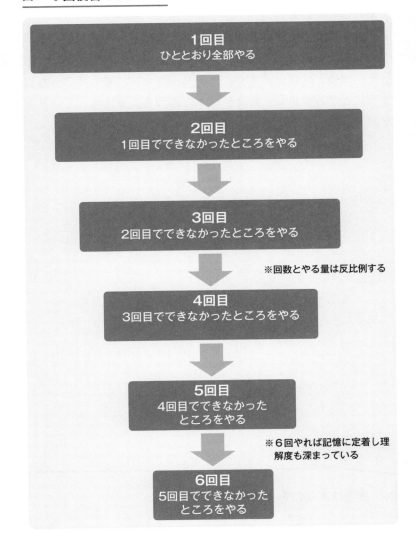

1回目
ひととおり全部やる

2回目
1回目でできなかったところをやる

3回目
2回目でできなかったところをやる

※回数とやる量は反比例する

4回目
3回目でできなかったところをやる

5回目
4回目でできなかった
ところをやる

※6回やれば記憶に定着し理
解度も深まっている

6回目
5回目でできなかった
ところをやる

にありません。

やればいいことばかり。

やらないでいるのはもったいない……。

それが、復習です。

その始めどきは、今すぐ。モチベーションが最も高いうちにやることで習慣化し、好サイクルに入れるようになっていきます。

ポイント

復習はあなたを裏切らない

2章

成績が上がる人、上がらない人の決定的な違い

勉強を続けるために必要なものは
モチベーション

「勉強ができる人は一体、どういう人でしょうか？」

　こう問われたら、「頭がいい人」とか「IQ が高い人」という答えが多く飛び出すことでしょう。確かに勉強ができる人は頭がいいとは言えますが、それは絶対条件ではありません。IQ が高い人も同様です。

　世の中全体に「勉強ができる人＝頭がいい人」という共通認識があるようですが、そう単純化してしまうと、本質を見誤ります。勉強とはもっと奥深いものであり、それゆえになかなか身につけることができないものだと言ってもいいでしょう。

　質問を変えましょう。

「勉強ができる人は何を持っている人でしょうか？」

　前もって言っておくと、正解は持って生まれた頭のよさとか知識量といったことではありません。もっと精神的なものです。

　先に答えを言ってしまうと、モチベーション。言い換えれば、やる気。**勉強ができる人はモチベーションが高いから、テストで高得点を取ったり、試験に合格したりすることができます。**

　頭のよさや IQ が不要ということではなくて、モチベーションがあれば、勉強を続けることができます。難しい問題にぶつかっても、持っている知識や解法を駆使して、頑張って解こうとします。

勉強に必要なものは、一にも二にもモチベーション。そう言っても、過言ではありません。

「よし、これから勉強をやろう！」

　そう思ったら、すぐに教科書を読んだり問題集を当たったり参考書を開いたりする——。それが、勉強ができる人です。

モチベーションが成績に直結する

　成績がいい人で、「勉強なんかやりたくないよ」とモチベーションが低い人などいません。むしろ積極的に勉強に取り組んでいます。逆に言うと、成績が悪い人は、おしなべてモチベーションが低い人です。

　成績がいいから、モチベーションが高いのか。モチベーションが高いから、成績がいいのか……。ニワトリと卵のような関係にありますが、いずれにせよ、両者は切り離せないものです。

　モチベーションがあるからやりたくない科目でも取り組めるし、自分がまだよく分かっていない単元にも「やってみよう」と思えるようになります。

　モチベーションとは気の持ち方次第。

　このモチベーションが、勉強のやり方や、その後に控えるテストや試験の行方を大きく左右します。

　モチベーションが低いとどうなるのかと言うと、「勉強しよう」という気になれません。「やりたくない」から、ある意味では、それも当然です。

　モチベーションが低いと、勉強しない。勉強しないから、成

績が上がらない。成績がよくないから、モチベーションが低いまま……。

　この負の連鎖を延々と続けることになります。どこでこの連鎖を断ち切るのかと言うと、メスを入れるべきなのはモチベーションです。

　まずは**「勉強をやろう」というモチベーションを上げる**。勉強ができるようになるためには、ここからスタートしていきます。

　こう言うと、「精神論ではないか？」と思う人もいそうです。そう、ある意味、精神論です。精神（やる気）を整えることが根幹です。モチベーションを上げようとしないと、ただでさえ「やりたくない」と思っている勉強に取り組むはずがありません。

　これから成績を上げる、あるいは合格するという大きな目標を達成するには、それなりの時間を要します。その長期間、いいときも悪いときも自分自身を支えてくれるのが、モチベーションです。

　モチベーションがあれば、勉強に取り組めるようになるし、テストで高得点を叩き出すことも難関試験に合格することも可能。極端なことを言うと、勉強ができるようになるためには、頭のよさや IQ といったものより重要だと言ってもいいです。

　もっとも、いきなり「絶対に合格するぞ！」というハイテンションになる必要はありません。まずは「今よりちょっと成績を上げたいな」くらいの軽いかんじで。

　勉強をするうえで最も重要なのは、モチベーション。それを維持できれば、大船に乗ったつもりでいてもいいでしょう。

成績が上がらないのは、理由がある

　成績が伸び悩んでいる人。苦手科目があって、なかなか手をつけられないでいる人。あるいは頑張ってやっているのに、なかなか結果が出ない人……。

　そういう人でも、モチベーションを高く維持できていれば、大丈夫。「頭がよくない」「勉強に向いていない」なんて卑下したり自信喪失したりしないでもらいたいのです。

　確かに成績が上がらない人は、現状では結果が伴っていません。その事実から目を背けることはよくありませんが、きちんと受け止めたら、あとはあるものを身につけていくだけ。

　それは知識ではなく、勉強法です。**今とは違う勉強のやり方に変えてみて、なおかつ高いモチベーションを維持できるのであれば、時間がかかったとしても、結果が出るようになります。**

　そのやり方を本書でお伝えしていきます。その前にひと口に「成績が上がらない」と言っても、細かく見ていくと、実にさまざまなタイプがあるものです。タイプによって勉強の仕方も変わってくるので、次からはいくつか例に出すことにします。

ポイント

成績が上がる人は、モチベーションが高い

1回で覚えようとしている

　教科書を1回読んだだけで理解できる。あるいは問題集を1回やっただけで、テストで高得点を取ったり、試験に合格できたりする。それは夢です。

　どんなに成績がいい人でも教科書を繰り返し読んでいるし、問題集を何回もやっています。1回でできるようになるなんて、ちょっと虫がよすぎると思いませんか？

　1回だけで勉強ができるようになるのなら、どんなにスゴイことでしょうか。それができたら、あらゆる勉強に取り組んでいって、博覧強記になれそうです。

　残念ながら、**勉強は1回で身につくほど生易しいものではありません**（それでもスポーツよりはるかに身につけやすいと言えます）。**教科書も何回も読む。問題集も何回もやる**。そうやって繰り返しやることで、身につくようになります。

　1回で覚えようとする人は、「ラクをしたい」「手抜きをしたい」というよりは、気合が入りすぎています。もともと勉強が嫌いだったり苦手だったりする人にありがちな傾向です。

　何回もやるのがイヤだから、1回で済ませようとする。1回で終わらせたいから、やるからには気合を入れてやる……。そんな側面があるように思います。

勉強に気合はいらない

教科書を1回読んだだけで理解しようとしたり、問題集を1回やっただけでできるようになったりするのは、もともと不可能。どんなに天才と言われる人でもできないことでしょう。ある意味では、自分にムリなことを課しています。

「1回で覚えるぞ！」と気合を入れてやってみても、覚えられないし、できるようにもなりません。「やっぱり頭が悪いんだ」「こんなこともできないなんて……」と、自分を否定したり責めたりして、ますます勉強を嫌いになったり苦手と感じたりするようになっていきます。

必要以上に気合を入れると、うまくいかないときにその反動が大きくならざるを得ません。勉強に気合は不要。それよりは淡々と、かつコツコツやっていきましょう。成績がいい人でも何回もやって、ようやくできるようになります。

まずは「1回で覚える」あるいは「1回やれば十分」という考え方を捨てましょう。このタイプは、やったことを誰かに報告する、あるいは薄い問題集を1冊やりきるというやり方から始めていくのがいいでしょう。

勉強は淡々とコツコツやっていく

段取りが悪い

　もし２週間後にテストがあるとしたら、その対象となる科目すべてについてひととおり復習するのではないでしょうか。このときに何をいつどのような順番で、どれくらいの時間をかけてやるのかという段取りをつける必要がありますが、成績が上がらない人はおしなべてこれができていません。

　段取りをきちんとつけていないと、行き当たりばったりの勉強をすることになります。「今日はこれをやろう」というように気分次第で勉強する科目を選んだり、得意な科目だけを集中してやったりするようになりがちです。きちんと段取りをつけていないと、計画的に勉強できないし、それがそのままテストの点数に反映されてしまいます。

　逆に**「今日は英語と国語」「明日は数学」「明後日は生物と化学」というように段取りをつけておくと、何をやればいいか分かっているので迷うこともないし、集中して取り組めます。**得意な科目はそれほど時間を割かないで、苦手な科目は重点的にやるというペース配分もできます。

　段取りをつけないと、見通しが立てられません。その日だけでなくテストの前日までの予定が決まっているから、計画的に勉強できるようになるし、点数を上げられるようになります。

勉強にもペース配分が必要

　成績が上がらない人が段取りをつけていないと何が問題なのかと言うと、「ペース配分ができない」ことです。**テストまでの限られた時間で覚えるには、何をいつまでにどれくらいやるというペース配分をする必要があります。**

　たとえば、英語の出題範囲が教科書の100ページ分だとすると、テストの前日までにその中の重要なところをまず覚えなければなりません。1日20ページずつ5日に分けて取り組むとしても、その日にちをあらかじめ決めておかないと、おそらくすべてを終えるのは難しいでしょう。

　風邪を引いたり調子が悪かったりして1日休んでしまうと、その20ページをあとで取り返すのは意外と大変です。1日に40ページをやろうとすると、今度はほかの科目にしわ寄せがいくことになります。

　英語だけでなく国語も数学も社会も理科もすべての勉強のスケジュールをつくって、重点的にやるべき項目をどこにするか決める段取りをつけておくのは、テストで結果を出すための最低ラインです。

　ムリのないスケジュールをつくる。それでいてやるべきことすべてを網羅している——。

　それを両立させるのが、段取り力です。勉強を始める前に、段取りをつけておくだけで効率がよくなって、効果的に重要なことを覚えられるようになります。

勉強の計画を立てる

　段取りと言うと「面倒くさい」と感じる人もいそうですが、慣れれば誰でもできるようになります。段取りをつけないで勉強しようというのは、計画性がないし、自らハンディを与えるようなものなので、不利になるのは明らかです。**段取りをつけるだけで、勉強への取り組み方が変わってきます。**

　このタイプには、一生懸命やっているのになかなか結果が出ないでいる人の多くが当てはまります。勉強する主体はあくまでも自分自身ですが、手帳を使っていつ何をやるか段取りをつけやすくする方法や「追い込まれてやる」という勉強のやり方が合っているかもしれません。

ポイント

　やるべきことはすべてスケジュール化する

成績が上がらない人の特徴③

チェックを怠っている

私自身の恥ずかしい話をします。今からもう30年以上も前のことですが、大学生になって運転免許を取得したときのことです。

運転免許を取るには、学科と実技の両方の試験に合格しなければなりませんが、受ければほとんどの人が通るものです。私自身、いわゆる受験を何度も経験して筆記試験には自信があったし、運動能力もあるほうなので、「どうせ受かるに決まっている」と、最初からタカをくくっていたようなところがありました。

迎えた当日。学科試験を受けたところ、「あれ、おかしいな。こんなこと習ったかな？」と自分でも不思議に思うくらい知らないところがたくさん出てきて、出来はあまりよくありません。分からないながらもなんとか問題を解いていったので、「ギリギリ合格といったところかな」と、結果を待つことになります。

学科試験は当日に合否発表があり、電光掲示板に合格者の番号が点灯されます。不安半分、期待半分で結果を待っていると、私の番号はありませんでした。そうです、不合格です。

私の後ろにいた、いかにもヤンキーそうなお兄さんたちが「受かった。受かった！」と喜んでいるのを遠目に見たのを今でも昨日のことのように覚えています。「東大に受かったのに、運

転免許の学科試験で落ちるなんて」と愕然<ruby>愕然<rt>がくぜん</rt></ruby>としたものです。おそらく東大生で自動車の学科試験に落ちたのは私くらいではないでしょうか。

ひと手間を惜しまない

　もっとも、この結果は意外でもなんでもありません。私自身、「学科試験なんて受かるよ」と過信していたからです。本来なら試験前日までに問題集をサラッとチェックをして頭にしっかり叩き込んでおくべきなのに、そもそもロクに勉強せずにいたのですから、不合格になって当然。

　その反省を活かして、二度目では学科試験を受ける前にしっかり勉強して合格し、運転免許を取得するに至ります。今思えば、苦い経験です。2回受けたおかげで、交通規則をしっかり頭に叩き込むことができました。

　チェックというのは、して当たり前です。よく「ちゃんとやったんだから、チェックなんてしなくていい」と面倒くさがる人もいますが、そういう人ほどあとから問題が起きて慌てることになります。

　ビジネスでは見積書や請求書を送付するときに、手間がかかってもダブルチェック、トリプルチェックをするのは当然のことです。もしゼロが1つ足りなかったり、逆に増えていたりしたら、信用問題に発展してしまいます。**チェックをして、ノーミスなら、トラブルを事前に回避できるのですから、誰も困ったことにはなりません。**「面倒だ」と、チェックを怠ると、取

り返しのつかない事態になります。ひと手間を惜しんだら、ロクな結果にはならないものです。

チェックをするから、間違っていたところに気づけるのです。「ちゃんとやったから大丈夫」なんて大船に乗ったつもりでチェックを怠ると、間違いを見逃してあとで顔面蒼白になることもなきにしもあらず。

　チェック自体は1時間も2時間もかかるわけではなく、すぐにできることです。「面倒だ」と感じる人は、チェックリストやチェックボックスをつくるなどして、あとで見直す工夫をするといいでしょう。

ポイント

チェックでトラブルを事前に回避する

「知っているつもり」になっている

　単語カードに英単語や古文の用語、歴史の年号などを書いて、何度も何度も繰り返しめくっていって覚えようとすることで、ようやくそれらが記憶に定着します。何回もやることで充実感を得られるし、「やった気」にもなります。

　ところが、実際にテストを受けてみると全然できていなかったり、試験に不合格だったりする……。こういう残念なことは往々にしてあります。「頑張ったのに、結果がよくないという人」は、このケースに該当します。

　授業もしっかり聞いたし、その後も読み直したし、覚えるためにさまざまな工夫もしています。それなのに**結果に結びついていないのは、「知っているつもり」になっているから。**

　このタイプは勉強をまったくやっていないのではありません。やっているのに結果に反映できていないだけ。それは理解が中途半端だったり、テストという肝心なときに覚えたはずのことが出てこなかったりするからです。つまり、「理解できていない」ということ。

　「知っているつもり」は、意外にたくさんあります。たとえば、ニュースでよく出てくる国連（国際連合）。中学生以上の人に「国連って知っていますか？」と聞いたら、ほとんどの人が「知っています」と答えるでしょう。

説明できないのは理解していない証拠

それでは「3分間で国連について説明できますか？」と聞いたら、「知っている」と答えた人のうちスラスラと話し始めるのはごくわずかになるに違いありません。「3分も話す内容がない」となる人も多いと思います。なんとなく知っていても説明できなければ、理解していない証拠です。

覚えたはずのことが出てこないのは、アウトプットが足りないからでもあります。覚えたことを1回や2回ではなく何度もアウトプットすることで記憶に定着するし、肝心なときにスーッと出てくるようになります。

真面目に、しかも長い時間勉強をしているだけに、肝心なときに思い出せなければもったいなさすぎます。アウトプット中心の勉強法に変えていくことで、結果が出るようになります。このタイプは、目次に重要なキーワードを書き込むやり方をしていくのもいいでしょう。

ポイント

覚えたことをアウトプットしていく

出題の意図が読み取れない

　試験、特に記述問題には、明確な採点基準があります。問題に対して、出題する人の意図を読み取って必要なキーワードやポイントを踏まえながら記述しないと、自分がどんなに「いい答えが書けた」と思っていても、得点が上がりません。書き方によっては、０点になってしまうでしょう。

　私は採点する側に回っているので、出題側の意図を読み取れずにポイントを外した記述をしている答案を目にすることが何度もあります。そういう答案には得点をつけることができません。これは別に私の感覚でやっているわけではなくて、明確な採点基準があり、それを満たしているものには点をつけて、そうでないものは点をつけられないということです。

　出題の意図とは、出た問題の解答を通じて、知識や読解力、判断力、表現力などをどれだけ身につけているかを評価しようとするもの。従って、問題を見て、「これは知識量が問われているんだな」「この問題は表現力を問うている」と分かれば、答案の書き方も自ずと決まってきます。

　成績が上がらない人の中には、問題を見て出題の意図を読み取れていない人が少なくありません。ここをよく押さえておかないと、記述問題で得点を上げることが難しくなります。

　たとえば、司法試験では2011年から新しい形式の試験が導

入され、旧式の試験とは問題がガラリと変わっています。当然ながら、答案の書き方も変えざるを得なくなります。

いくら長年勉強して法律の知識があったとしても、新しい試験に対応できなければ合格することができません。新試験に対応できるようにすることが、合格のカギとなります。

新しい司法試験では、裁判官や弁護士、依頼人の会話文のようなものがあって、それを読んで論点を抜き出して書くというケーススタディのような問題が増えています。いかにポイントを抜き出すことができるかのほうに比重が置かれています。こうした出題の傾向を把握していなければ、自分でいくら「よく書けた」と思っていても、ピント外れの答案を書いてしまうことになり、合格がおぼつかなくなります。

高得点を取るコツがある

記述式の問題には、明確な採点基準があります。たとえて言えば、フィギュアスケートのようなもの。フィギュアスケートというスポーツは、トリプルアクセル8・5、4回転ルッツ13・6という基礎点があり、点数が高いもので演技を構成していくと、高得点を出すことができます。

新司法試験もそれと同じようなものです。問題から出題の意図を読み取って、ポイントが高いキーワードを抜き出して書いていくと、いい得点を取ることができます。

出題の意図を読み取り、採点基準を満たした答案を書いていくと、いい得点がもらえる──。これは、司法試験に限らず、

大学の入学試験や学校のテストでも同様です。

　出題の意図を読み違えてしまうと、せっかく頑張って勉強してきた成果を試験で発揮できなくなってしまいます。こんなもったいないことはありません。

　このタイプが成績を上げるために有効なのは、自分で問題をつくるというやり方がいいかもしれません。それまで学んだことを総動員して、キーワードを空欄にした問題をつくって、自分で解いてみる。問題をつくってみると、出題者の意図というものがなんとなくでも見えてきます。

　問題をつくるのは、自分自身が内容を理解していなければできないことです。実際につくってみると、想像以上に得るものが大きいです。

ポイント

出された問題で何が問われているかを把握する

気持ちのいい勉強をしている

　東京オリンピックの卓球混合ダブルスで金メダルを獲得した水谷隼選手には、『負ける人は無駄な練習をする』(卓球王国)という本を書いています。その中で私が印象に残ったのは、「練習には気持ちがいい練習とそうでない練習がある。成績がよくない選手は、気持ちのいい練習ばかりしている」ことでした。

　気持ちのいい練習とは、言うなればカンタンでラクなことばかりやること。すでにできることをやるから、やっていても気持ちがいいし、「やった」という充実感も得られます。

　とは言え、そんなラクな練習ばかりしていても、強くなれるはずがありません。**自分自身に徹底的に負荷をかけて、できないことに積極的に取り組んでいかなければ、強くはなれない**ものです。

　オリンピックという世界中の強豪が集まる舞台でメダルを取ろうとするのであれば、なおさら。ライバルたちができないような練習をやることで、強くなっていきます。もちろん、自分自身にとっても大変できついことなので、苦しいし気持ちがよくないに決まっています。

　しかしながら、それを避けていては強くもなれないし、メダルを取ることなど不可能です。水谷選手は気持ちがよくない練習に取り組んでいたから、金メダルを獲得できたと言ってもい

いでしょう。

カンタンに解ける問題ばかりやらない

　これは、勉強にもすっかり当てはまります。気持ちのいい勉強をしている限り、成績は上がりません。

　ここで言う「気持ちのいい勉強」とは、すぐに解けてしまいそうなカンタンでラクな問題ばかりやること。得意科目だけをやるのも含まれます。

　カンタンにできてしまうことをするのですから、気持ちがいいのは当たり前。それをやっていると、「勉強をやった」「できるようになっている」という気分になれます。

　なかなか解けない、難しい問題を避けているのですから、それは錯覚です。実際に試験でそういう問題ばかり出たら、手も足も出ません。

　分からないこと、知らないことばかり出てくるので、勉強は決して気持ちのいいものではありません。だからこそ分かること、知っていることばかり取り組んで「できるようになった」という錯覚に陥りたくなるのかもしれません。それをしている限り、成績が伸びることはないにもかかわらず……。

　このタイプは、まず薄い問題集を1冊やってみて、いかに自分自身が「知っているつもり」になっているかを把握することから始めたほうがいいでしょう。そのうえで、負荷をかけてできることよりできないことをやっていきます。

　できないことに取り組むのにモチベーションが高まらないの

は当然なので、最初は範囲を限定してやってみます。その限られたところを理解できるようになったら少しずつ範囲を広げていってできるようになっていく。こうした勉強法が合っているのではないでしょうか。

ポイント

負荷をかけながら勉強する

問題集を何冊もやろうとする

　学校のテストなら出題範囲はある程度決まっていますが、入学試験や資格試験はどこからどんな問題が出るかという見当がつきません。過去にどういう問題が出たのかという傾向と対策から、ある程度の予測をすることもできますが、それでも100％とまではいかないものです。

　何が出るか分からないから、いろいろやっていこう……。そんなふうに不安になって、勉強の範囲をドンドン広げている人がいます。問題集を何冊もやろうとするのが、このタイプ。

　問題集をとりあえず1冊やったくらいだと、「成績がよくなる」「試験に合格できる」という自信まで持てるかどうかは微妙なところです。だからこそ本人も「今度はこれをやってみよう」「この間のものはカンタンすぎたから、こっちをやってみよう」と別のものに手を出すようになりがちです。

　次から次へと問題集を渡り歩くのは、ジョブホッパーみたいなもの。新天地に移ってばかりで、特定のスキルを身につけられずに、なんの専門性も持たないでいるビジネスパーソンみたいなものです。これといった専門性や得意科目を習得できなくなってしまう可能性が高いです。

手を広げすぎるのもいいことではない

　難しいものに挑戦しようとするのは、やる気のある証拠ですが、背伸びしすぎです。高いレベルについていけず、挫折する可能性が大。「こんなこともできないなんて」「やっぱり頭が悪いんだ」と、自信喪失しかねません。

　勉強をやろうというモチベーションも持っていて、実際に真面目にやっているのに、最終的に結果に結びつけられないのが、このタイプ。手広くやりすぎて、1冊もものにできず、結果を出せずに終わってしまいます。

　問題集は「これもやろう」「あれもやったほうがいい」と浮気するものではありません。 1冊と決めて、それをトコトンやっていきます。そのほうが身につくし、結果につながります。

　この人への処方箋は、「薄い問題集を1冊選んで、しっかりやる」こと。1回だけでなく、何回も何回も繰り返しやっていきます。そのほうが身につくし、結果を伴うようにもなります。

　問題集は浮気してはいけない

苦手科目を放置する

　誰にでも苦手科目はあるものです。成績がいい人にも、苦手科目はありますし、やはりそれに取り組むには苦労をしています。

　苦手科目がない人はいない……。こう言われると、極度に不安にならず、少しばかり安心できるのではありませんか。

　苦手科目があるのはいいことではないですが、現実にある以上、なんらかの対策を施す必要があります。放置してしまうのは、最悪のパターンです。

　確かに苦手だから、いい点数を取れるわけではありません。

　苦手科目はモチベーションが上がらない→勉強をやらない→テストの成績がよくない→モチベーションが下がる→勉強をやらない……

　放置している限り、この負の連鎖が続きます。それにとどまらず、試験の合否に大きく影響してきますから、やらないでいい理由などありません。

　もっとも、やりたくないものにムリに取り組んでも、成果が上がるはずがなく、時間のムダ。ここは考え方を変えてみましょう。

　苦手な科目は得意科目に比べれば、現時点では半分とか３分

の1くらいの得点しか取れていないかもしれません。逆を言えば、これは「伸びしろ」があるということ。今はまだ点数が低くても、頑張ればグーンと伸ばせる余地があります。

得意科目は現状維持でいい

たとえば、得意科目でコンスタントに90点取っているとしても、そこから大きな上積みをしようと思うと、なかなか大変です。得意科目は伸ばせる余地は少ないので、できるだけ維持していくしかありません。

これに対して、苦手科目で30点とか40点しか取れていないとしたら、やり方にもよりますが、そこから70点、80点に伸ばしていくのは十分に可能です。苦手科目の得点が倍になるとしたら、合格圏内にグーンと近づくことができます。それこそ志望校の模試でE判定だったとしても、A判定にまで持っていくことも可能です。

苦手な科目こそ得点を大きく上積みできます。その具体的なやり方は、「範囲を限定する」こと。

ムリせずに勉強する範囲を小さくして、そこだけはなんとかできるようにして、それを少しずつ拡大していく。そういうやり方が、このタイプには向いています。

ポイント

苦手科目には伸びしろがある

インプットばかりしている

　勉強には、単語や文法、用語、数式など覚えなければならないものがたくさんあります。それが各科目にあるので、トータルすると相当な数に上ります。英単語なら数千語、古文なら300語とか、単語集や用語集があって、それを全部覚えることが半ばノルマのようになっていて、受験する人は全員がそれを覚えようと躍起になっています。

　このように勉強にはインプットすべきことがたくさんありますが、だからと言ってそればかりしていても成績が伸びるわけでもありません。むしろインプット偏重は、問題が多すぎます。

　確かに基本的なことをインプットしていないと、テストを受けても、問題そのものがチンプンカンプンで、解くこともできません。インプットが前提にあるのは当たり前なのですが、そればかりするのはむしろ自分で自分の足を引っ張ることになってしまいます。

　インプットばかりしている人は、真面目な人です。また頑張っているのに、なかなか目に見える結果が出ない人でもあるでしょう。思うように成績が伸びないから、「もっと覚えなきゃダメだ」「これは完璧に覚えられるようにしよう」と、よりインプットにこだわるようになるのかもしれません。

過去問にはなるべく早く取りかかる

　インプットをたくさんしている人には、こんな傾向が見られます。たとえば、出題科目をひととおり全部やってから「過去問」や問題集に取りかかろうとします。

　なんのインプットもない状態で過去問や問題集をやっても太刀打ちできませんが、ある程度の実力を身につけたとしたら、ドンドン取りかかるべきです。**本番の試験に通じる問題に触れることで、自分の今の実力や記憶の定着度が分かる**ようになります。また自分の弱点も見えてきます。

「ひととおり覚えてからやろう」

　インプット重視の人は、よくこう言って、過去問や問題集をあと回しにしがちですが、それでは自分の実力や記憶の定着度がハッキリ分かりません。さらにまずいことは、覚えたことを何回も繰り返し、覚えにくいことはそれ以上に時間をかけてやることになるので、本番までの日にちが少なくなって、過去問や問題集をやる時間がなくなってしまうことです。

「よし、覚えたから、これから過去問（問題集）をやろう」

　ようやく本番の１カ月前とかになって始めてみても、今度は時間が足りなくなって１冊全部やりきることもできなくなります。自分が十分に分かっていなかったところが発覚しても、残り時間が少ない中で理解するのはかなり難しいでしょう。過去問や問題集を５回も６回もやることで難しいところを理解できるようになるのに、その機会もないまま本番に突入してし

まい、思うような結果を出せずに終わってしまいます。

　インプットは大切です。インプットするから、アウトプットできるようになります。これは事実ですが、「逆も真なり」です。アウトプットするから、インプットできるようになります。

アウトプットするからインプットできるようになる

　アウトプットすることは、インプットを強化することにほかなりません。インプットばかりしていると、アウトプットする時間がなくなります。アウトプットすると、現状が分かるうえに記憶に残ります。

　アウトプットすることが、インプット。復習すると、インプットとアウトプットを同時に回すことになるので、効率がよくなります。インプットだけをするよりもはるかに速く、かつ多く記憶できるようになります。

　インプットするのが悪いのではありません。**インプットばかりするのが、よくない**のです。インプット重視の人は、覚えたことを人に説明したり、ジェスチャーを交えてカラダに染み込ませたりするといったアウトプット主体の勉強法に方向転換していくと、結果が出るようになります。

ポイント

アウトプットとインプットを同時に行う

成績が上がる人の特徴

　成績が上がらない人の特徴を見てきましたが、今度は成績が上がる人についてお話ししていきます。

　成績がいい人は、「勉強が好き」だと思われています。確かにそういう側面はありますが、微妙に違うような気がします。

　私自身、勉強することはもはや趣味の領域で、「好きだ」と公言するのを憚りません。何時間やっても苦痛になりませんから、確かに好きなのですが、もっと言うと、勉強に対する「ストレス」がありません。

　勉強が苦手だったり嫌いだったりすると、やるのは確かにストレスです。勉強するのがイヤだから、ゲームをやったりマンガを読んだり、あるいはネットを見たりしてしまう人がいますが、これは明らかに現実逃避です。もっとも、そこには勉強しなければならないという「ストレス」から逃れようとしている側面もあります。

　ストレスだから逃げたくなる。これは一種の自己防衛で、この人に「勉強しなさい」ときつく言うと、ますますストレスを受けることになって逆効果です。

　勉強自体がストレスだと、どんなに頑張っても成績が上がりません。むしろやればやるほど逆効果になっていきます。

① 勉強することにストレスを感じない

　一方、成績がいい人は、ストレスだと感じません。それは、「やればできる」と分かっているから。自分がこれまで習ってきた知識や解法を駆使していけば、「なんとかできる」という自信もあるから、**どんなに難しい問題にぶつかっても、ストレスになりません。むしろ「どうやって解いていけばいいのか」を楽しく考えようとします。**

　これはそれまでやってきた勉強のベースがあるから言えることですが、成績がいい人も最初から勉強ができたというわけでもありません。分からないながらもやっていって、問題を１つずつ解いていったから、できるようになり自信がつきます。それを繰り返していくうちに、ストレスもなくなっていったのです。

② 確実にできることを増やす

　私はこれまで中学、高校、大学、大学院と４回、いわゆる受験をしましたが、最もプレッシャーを感じたのが高校受験のときです。落ちる人は少数ですが、私はその志望校一校しか受験していなかったので、不合格の場合、行くところがありません。高校受験では「絶対に解けない」という難問が出ることはまずありません。１つ１つの問題はできるものばかりで、それほど難しいわけではなく、だからこそそのできる問題を間違えてしまうと、致命傷になっていきます。

　受験生の全員が成績優秀の人であれば、そのできる問題はできて当然。その誰もができる問題でミスが多ければ多いほど不

合格になってしまう……。そんな厳しさがあったので、「1つも間違えられない」というプレッシャーは相当なものです。それゆえに「最も苦しい受験」でした。このプレッシャーから脱する道は、知識を確実にすることでした。

成績がいい人とよくない人の違いは、試験当日に如実に表れます。

成績がいい人は、まずできるところをスピーディーにやろうとします。まずはできるところは確実にやっていって、得点を伸ばしていきます。できないところはあとでじっくり手がけていきますが、できることを応用していって、答えを見つけ出して、最終的には高得点を叩き出します。

一方の成績がよくない人は、できることとできないことを区別しようとしません。できるところからやろうとしますが、その範囲が少ないので、なかなか得点に結びつけられずにいます。またできないところに必要以上に時間をかけてしまって、できるところも全部終わらせることができないという致命的なミスをして、得点も伸ばせません。

できることを確実にやる──。この当たり前を徹底しているのが、成績がいい人です。

③ 回収感覚がある

成績がいい人は、1回で覚えようとはしません。2回、3回、4回とやっていって、覚えようとしていきます。勉強ができるようになるには、それだけ手間も時間もかかるものです。

記憶したら、今度はそれが実際に定着しているかどうか確認

します。テストや模試を受けたり、自分でカードをつくって答えを言うことができるか確認したりすることで、その定着度を測ることができます。さらに本番の試験で実際に問題を解けるようになるには、教科書や問題集を5回も6回もやる必要があるでしょう。

繰り返すから、リターンが大きくなる

　何回もやるのは、頭が悪いからではなく、記憶に定着させ、本番でしっかりアウトプットできるようにするため。本番で覚えたことが出てこないようなら、やった意味がありません。

　さすがに5回も6回もやっていると、緊張のあまり「うーん、何だっけな？」と出てこないことがあっても、やがてリラックスしてくると、「そうだ、これだ！」と出てくるようになります。それは、5回も6回も教科書や問題集をやったから可能になったことです。

　何回もやるのは非効率のように見えますが、そうではありません。何回もやるから、投下した時間とお金をあとから回収できるようになります。**1回しかやらないのと、5回も6回もやるのとでは、アウトプットでは圧倒的な差となって表れます。**前者では覚えたことを忘れていることが多く、後者では覚えたことの多くを思い出すことができます。別の表現をすれば、投下したリターンが大きいということです。

　勉強は1回や2回やったくらいでは身につきません。それは、投下した時間とお金に見合うリターンがないということ。

5回も6回もやると、それだけ時間もお金も投下しますが、1回だけに比べるとはるかに身についているので、リターンは見合っているどころか、回収できるくらいになっています。

　やればやるほど、身についてリターンがある。成績がいい人は、このことを知っています。

　時間もお金もやった分だけ、あとから回収して、しかもできるだけリターンを大きくしている――。そんな回収感覚があるのが、成績がいい人です。

　ここまで成績が上がらない人の特徴、成績が上がる人の特徴をそれぞれ見てきました。成績が上がらない人は、勉強のやり方を変えていけば、いくらでも結果を出すことができます。

　次章では、それぞれのタイプに合った勉強法をはじめ、さまざまな勉強法を取り上げていきます。自分に合ったものを見つけてもらえれば、幸いです。

ポイント

ストレスなくできるところを増やして繰り返しやっていくと、結果を出せるようになる

3章

結果につながる
6回復習法

自分に合った復習の
やり方を見つける

　ここからは具体的な復習のやり方を取り上げていきます。1つ1つは私自身が勉強しているときに実践していたもの、教師として学生に指導したり体験させたりしたもので、いずれも効果が見られたものです。

　掲載されている復習のやり方を見て、どれがよくて、どれがよくないということはありません。優劣はなくて、合う・合わないがあるだけです。

　全部試してみてもいいし、興味がありそうなものだけをやってみてもかまいません。どれを選ぶかは、その人の自由です。
「これは自分に合うかもしれない」
「これなら長続きしそう」
「このやり方は数学（国語、英語）にピッタリだ」……

　そう思えるものが見つかったら、早速実践してみましょう。**モチベーションが高いときが、始めどき**。やってみなければ、本当に自分に合っているのか合っていないのか分からないのですから、チャレンジあるのみ。

　やってみて、「これなら効果がありそうだ」「これなら続きそうだ」と思えれば、続けていきます。逆に、「なんかしっくりこない」「これでいいのかな？」と不安や疑問に感じたりするならば、道は2つ。

1つは、自分に合うようにカスタマイズしてみる。

　もう1つは、ほかのやり方に変えてみる。

　自分にピッタリ合う復習のやり方が見つかるまでは試行錯誤が続くかもしれませんが、それでもいいではないですか。それだけあなたが真剣に復習力を身につけようとしている証拠ですから。

実践することでノウハウは身につく

　1つだけではなく、複数のやり方を組み合わせるのもアリです。

　たとえば、チェックリスト勉強法と目次勉強法を両方実践すれば、復習力は大いにアップします。テストで高得点を連発したり、難関試験に合格したりするのも夢ではなくなります。

　あるいは科目ごとに復習のやり方を変えるのも、おススメです。

　教科によって「国語（英語）にピッタリ」というものもあれば、「数学に合う」というものも出てくるかもしれません。その場合は、自分自身で科目ごとに復習法を変えてみるのもいいでしょう。

　ノウハウはやらなければ、身につきません。身につけるだけでなく、活かせなければ、やった意味がありません。

　自分に合った復習のやり方を身につけるのは、勉強の「勝ちパターン」をつくること。

　「これをやれば成績が伸びる」「このやり方で合格できる」と

いう自信もつきます。復習することで、あなたならではの勝ち
パターンをつくっていきましょう。

ポイント

勉強の勝ちパターンをつくろう

三種の神器を揃える

復習の具体的なやり方、ノウハウについてお話しする前に、必要な勉強道具を揃えておきましょう。それがあるとないとでは、「理解するスピードや深さが大きく変わってきてしまう」と言っても過言ではありません。

ぜひとも揃えておきたいのは、次の3つ。復習の「三種の神器」とも呼ぶべきものです。

①3色ボールペン

私の本を読んだことがある人なら、おなじみと言ってもいいのが、赤・青・緑の3色が入ったボールペンです。

この3色を使い分けて、教科書や参考書、問題集、あるいはノートにしるしをつけたり、書き込んでいったりします。3つの色が示すのは、重要度です。

赤…**とても重要なところ**。絶対に覚えなければならないところやテストには必ず出るところ

青…**まぁまぁ重要**。授業で先生が「ここも覚えていたほうがいいよ」と言ったところ

緑…個人的に**「面白い」**と思ったところ。覚えていてもソンはないところ

ツールを活用して復習の効果を高める

　この３つを使い分けると、記憶したり理解したりするときに、メリハリがつくようになります。すべてを同じ色にしてしまうと、重要度が分からず、「全部覚えよう」と思って、結局はほとんど記憶できないで終わりがちです。

　記憶の優先順位をつけておくと、重要なところから覚えるようになって、「どれも覚えていない」ということがなくなります。最悪の場合、赤にしたところだけを覚えておけば、なんとかなるものです。

②ストップウォッチ

　ストップウォッチも、私の本を読んだことがある人には、おなじみ。勉強時間を計ったり、「30分以内に終わらせる」というように制限時間を設けたりするときに使用します。なるべく復習するときには時間を計測するようにします。

　ストップウォッチを使って勉強していると、時間感覚が研ぎ澄まされてきます。

「今、何分経った」と、時計を見ないでも分かるようになり、本番の試験のときでも個別の問題をどれくらいかけてやればいいのかというペース配分ができるようになるでしょう。残り時間が少なくなってきても、「あと15分あるから、これとこれとこれは確実にできる」と冷静に状況判断ができて焦ることもなくなります。

③手帳（ノート）

復習するときに間違えたところや、しっかり覚えなければならないところを記入するときに使います。いずれも復習専用の手帳やノートを用意したほうがいいでしょう。

三種の神器を活用することで、6回復習することの効果をさらに高めることになります。

ポイント

3色ボールペン、ストップウォッチ、手帳（ノート）を常備する

報告勉強法

　私が大学院に向けた勉強をしていたときのことです。第二外国語をドイツ語にするかフランス語にするか迷っていました。大学での既修はドイツ語だったのですが、メルロ＝ポンティの哲学を学びたいと思っていたのでフランス語で受験することにしました。

　ちょうどフランス語ができる友人がいたので、勝手に彼の協力を仰ぐことにしました。と言っても、やったのは、自分の勉強の進捗を報告するだけ。

「今週は6文型をやったよ」

　1週間学んだことを彼に報告するだけで、直接何かを教えてもらったわけではありません。

　報告が済んだら、それで終わり。また1週間、独学でフランス語を勉強します。1週間経ったら、彼に会って、「今週はここまでやったよ」と報告します。

　たまに「何か問題を出してみて」と彼に理解度をテストしてもらいます。小テストみたいなものです。

　もっとも、「6文型を覚えたよ」と言うだけでは不十分。いくら一生懸命学んだとしても、それを誰かに説明できなければ理解できたとは言えません。

　フランス語ができる友人に学んだ内容を話したり、フランス

語文献を読んだ成果を言えなければ、アウトプットにはなりません。**「学んだ成果を披露すること」が、報告になります。**

このアウトプットには、お金はかかりません。自分が学んだことを誰かに報告するのは、いい復習のやり方です。

人間には、自分がやったことを誰かにアピールしたい習性があります。子ども時代に1人でかたづけや掃除ができたら、「お母さん。見て、見て。1人でやったよ」とわざわざ母親に報告したものです。やったことを報告するのが、モチベーションにもなっています。

これは大人になってからも同じです。私が指導する学生にも卒論の進捗具合を逐一報告する人がいました。別に私が「卒論の進捗具合を報告して」と言ったわけでもないにもかかわらず。

「今日は6枚書きました」

「半分終わりました」

「あと10枚です」

私への定期的な報告はただのアピールではなく、彼にとってのモチベーションだったのでしょう。「今度はこんな報告ができるようになろう」と思いながら、卒論を書いていたのかもしれません。

SNSで進捗を報告する

この「報告勉強法」は、対面である必要はありません。**フェイス・トゥ・フェイスのほうが充実感も満足感も高いでしょうが、SNSを使うのも有効**です。

今なら LINE で「今日覚えたことは近接未来と単純未来。違いは確実性」とメッセージすれば、「よくできました」「頑張ったね」と相手から返事が返ってきます。わざわざ会いにいく手間も省けて返事もすぐに返ってきますから、報告するたびにモチベーションが高まっていきます。

　もし SNS でメッセージをやりとりする相手がいなければ、**ブログで「今週学んだこと」「今日学んだこと」と成果を発表するのもいい**でしょう。これは、不特定多数に向けて学んだ成果を報告するということ。

　誰が見てくれるのか、またリアクションがあるのかどうかも分かりませんが、ブログで発表すること自体がモチベーションになります。1 回や 2 回で終わってしまうようではさすがに格好悪いし、やり始めたら「続けよう」という気になります。

　自分自身がしっかり理解していないと、ブログには書けないし、適度な緊張感もあります。理解したことを書くことで、より記憶に定着しやすくなります。日記の延長のようなかんじで始めるといいでしょう。

　報告勉強法のメリットは、見てくれる相手がいること。しかも相手は、基本的に自分よりできる人です。**相手があなたの復習の進捗管理役になったり監視役にもなったりしてくれます。**

　定期的に会う人であれば、その都度、「今はここまで来ています」「前回から学んだことはこれです」と報告できますが、それを続けていると、相手が「ちゃんとやっているかな？」と、あなたの進捗具合を気にするようになってきます。

　逆に会っても報告してくれなかったり、間隔が空いたりする

と、「うまくいっていないのかな？」と心配する人もいます。
特に会うことも、また SNS でメッセージを送ることもなくな
ると、本気で心配してくれます。「大丈夫？」「何かあった？」
という安否を気遣うメッセージを送ってくる人もいるかもしれ
ません。

モチベーションにもプレッシャーにもなる

　報告しないでいると、相手に「三日坊主」と思われたり、無
用な心配をかけたりすることになります。そう思われるのがイ
ヤだから、「来週はきちんと報告しなくちゃ」「心配かけたくな
いなぁ」と、身を引き締めるようになります。

　報告勉強法はモチベーションを高めると言いましたが、同時
にこうも言えます。それは、プレッシャーを与えていること。

　**報告できないでいると、恥ずかしいだけでなく、相手に心配
をかけてしまいます**。そうなるのを避けようとするので、適度
なプレッシャーにもなります。

　モチベーションにもプレッシャーにもなる──。それが、報
告勉強法です。

　なお、報告する相手は誰でもいいわけではありません。ふさ
わしい人もいれば、そうでない人もいます。

　ふさわしいのは、自分よりレベルが上の人。必然的に先生と
か先輩、同級生や同僚でも自分より成績が上の人ということに
なります。

　なおかつこちらを励ましてくれる人。「頑張っているね」「よ

くできました」と、こちらのプライドをくすぐるようなことを言ってくれる人は大歓迎です。「もっといい報告ができるようになろう」「あの人を喜ばせたい」と、さらにモチベーションが高まるのは必定です。そういう相手を見つけて、定期的に報告するといいでしょう。

上から目線の人に報告するのは逆効果

　反対に、ふさわしくないのは、いい反応をしてくれない人。こういうタイプは遠慮願ったほうがいいです。

　たとえば、無関心な人。こちらが「今週はここまでやりました」とわざわざ進捗具合を言ってみても、「あっ、そう。よかったね」「ごくろうさん」とさしたる関心を示してくれない人だと、頑張って報告したとしても、やったかいがありません。モチベーションが下がる一方です。

　同様に、厳しいことを言ってくる人。「まだその程度なの？」「これしかやっていないの？」と上から目線の人も、好ましくありません。

　相手のレベルが上でもこちらと差がありすぎると、どうしても厳しい目で見られがちです。このタイプに報告しても、モチベーションはダダ下がりになります。

　ふさわしくない人に報告すると、せっかく頑張って勉強しても途中で投げ出しかねません。この復習法が自分に合っているのに、相手がイマイチであれば、変えてしまえばいいのです。こちらを励ましてくれる人を見つけて、その人に報告したほう

がいいでしょう。

　身近にいなければ、インターネット上で募集するのもアリです。「役に立ちたい」という人はいますから、その人に代わってもらったほうが、モチベーションを維持できるし、勉強もはかどります。

この復習法のポイント

報告勉強法

・自分よりレベルが上で、きちんと反応してくれる人に
　進捗状況を報告する

・週に1回とか月に1回とか定期的に報告していく

・対面がベストだが、SNSでメッセージをやりとりする
　のでもいい

・モチベーションと同時にプレッシャーも与えてくれる

・あらゆる科目に適用可能

チェックリスト勉強法

　哲学者であり数学者でもあるデカルトは、真理を発見するための４つの規則を説いています。それは、「明晰の規則」「分析の規則」「総合の規則」「枚挙の規則」です。

　この４つ目の枚挙の規則こそ復習に取り入れたいものです。デカルトが言うには、全部書き出してみて見落としがないかどうかチェックするというもの。

　仕事であれば、その日にやるべきことをすべてリストアップすることであり、勉強であれば、覚えるべきことを全部書き出していくということです。書き出すことで必要なものが揃っているのか、足りないものがあるとすれば何なのかが分かってきます。一種の「見える化」です。

「見落としがないように一つひとつ数え上げて完全に枚挙し、全体を見渡す」

デカルト

　偉大なデカルト先生が「全部を枚挙してモレがないかどうか見直しをせよ」と力説してくれているのですから、取り入れないという選択肢はありません。実際にやってみると、大変な効果があります。

私がこの枚挙の効果を認識したのは建築業者がこのやり方を採用している現場に遭遇したときです。新築やリフォームの工事をするときに建築業者が施主に注意事項を説明しますが、その1つ1つの文章についてチェックボックス（□）が設けてありました。いわゆるチェックリストです。

　建築業者の人が1つ説明する度に「よろしいでしょうか？」と確認し、施主が理解したらその□にレ点を入れるシステムになっています。

　説明すべき注意事項をすべて書き出し、1つ1つ説明していけば、モレもヌケもありません。あとから施主から「あれはどうなっているの？」と質問されたり、「こんなことは聞いていない！」とクレームをつけられたりすることもなくなります。双方にとって、余計なトラブルを回避する合理的なやり方です。

手帳に覚えていないことを枚挙する

　仕事はもちろん、復習でもこの枚挙の規則を取り入れていきます。このとき用意するのは「手帳」です。重要なこと、記憶しておきたいことなどを手帳にすべて書き出して、それを見たときにスラスラと暗唱できるようになっていれば、アウトプットになるし復習にもなります。

　手帳に書き出すのは、先生が「ここは重要だ」と指摘してくれたところ、授業を聞いてよく理解できなかったところ、テストに出そうなところなどです。これを手帳の自由スペースに書き出してもいいし、日付の予定を書き込むスペースに記入する

のでもいいでしょう。

　効果のあるやり方としては、覚えたいことがあったら、その1週間後とか2週間後のところに□に続けて「元素記号118」と記入していきます。その日が12月1日なら12月8日とか12月15日の予定欄のところに「□元素記号118」と記入します。

　12月8日とか12月15日になったら、手帳を開くと、その「元素記号118」が書かれていますから、見た瞬間にスラスラ内容を説明できたりノートに書いたりできれば、しっかり理解し記憶できたということ。この場合は、□にレ点を入れます。**チェックを入れたときは誇らしくうれしい気分になっていることでしょう。**

　うまく説明できなかったりノートに書いたりできなければ、1週間後とか2週間後の日付の予定欄に「□元素記号118」と書き込んでいきます。

　重要なところだけでなく、テストで間違えたところなども手帳に書き込んでいくと、おそらく真っ黒になるほど覚えるべき項目で埋め尽くされるのではないでしょうか。もっとも、それも最初のうちだけ。

　何度も繰り返しやっていけば、やる度にチェックを入れる項目が増えていき、枚挙する項目は逆に減っていくはずです。それは理解し記憶できたことが多くなっている証です。

　このように手帳に書き込んでいけば、復習する機会を自動的にスケジュール化することになります。手帳を開けば、復習すべき項目が書かれているのですから、やり忘れの心配がありません。

復習用の手帳を持ち歩く

　何をいつどれくらい復習すればいいのかがすでに決まっているから、毎日「今日は何をやろうか？」と考える必要もないし、やるべきことを淡々とやっていくだけ。この復習法をやっていると、自然に段取りもよくなっていきます。

　手帳さえあれば、いつでもどこでもどんなときでも復習することができます。手帳さえあれば、24時間勉強することも可能です。

　懸念材料があるとすれば、手帳に書き込むスペースがなくなりかねないこと。スケジュールを管理する手帳に復習することを書き込むと、ゴチャゴチャしてアポイントの予定が分かりにくくなることもあるでしょう。その場合はもう1冊別の手帳を用意して、そこに復習することを書き込んでいきます。

　この手帳は言うなれば、「復習手帳」。手帳を2冊持つことになりますが、大事な予定がいつなのか分からなくなってしまう心配がなくなるので、もう1つの手帳にたっぷり復習すべきことを書き込んでいきます。

　□があると、「これはどういうことだろう？」と気になります。そのまま放置しておくのは忍びなく、ついチェックを入れたくなります。

　とは言え、チェックを入れるには自分自身が復習して記憶しなければなりません。チェックを入れることがモチベーションになって、復習しようという気になっていきます。一種のゲー

ム感覚で取り組める復習法です。

この復習法のポイント

チェックリスト勉強法

- 間違えたこと、覚えるべき重要なことを手帳にチェックリストとして書き込んでいく

- 記入した1週間後とか2週間後に理解しているかどうかアウトプットしてみる

- 定期的なサイクルで復習の機会を設けられる

- チェックを入れることがモチベーションになる

- あらゆる科目に適用可能

ノウハウ③

目次勉強法

「本についている目次は何のためにあるのか？」

そう問われたら、明確に答えることができます。それは、効率的に勉強するため……。

本の最初のほうに数ページに分かれて掲載されている目次は、映画における予告編のようなもの。その本のガイド役とも言うべき存在です。

多くの人がこの目次を活用するのは、本を購入するときです。書店で「面白そうだ」「役に立ちそうだ」と思った本を見つけたら、必ずと言っていいほど目次を見ます。その本に何が書かれてあるか分かるし、具体的にかつ興味をそそるようにつくられていたら、「購入しよう」と、目次がその背中を押してくれます。本を「買おう」と決断する決め手となるのが、目次です。

その目次を勉強でも有効活用していきます。**目次は、その本のエッセンスや重要なところを抜粋したようなものですから、ある意味では、覚えるべきポイントを枚挙している**ことになります。つまり、全体を網羅しているということ。

特に分厚く難しい本は最初から読み進めていっても、全体の構成を把握できていないので、内容があまり頭に入ってこない可能性があります。今読んでいる部分が全体の中でどういう位置づけになっているか分かっていないと、なかなか理解が進ま

なくなります。

　目次を読んでおくだけで「この本は大体、こういうことが書かれているのだな」と全体を把握しやすくなります。まずはじっくり目次を読み込んでから、最初のページに入っていったほうが、結果的に理解が深まります。

　目次を見ないで読み始めてしまうのは、地図を持たずに旅をするようなもので、迷子になりかねません。旅行における迷子が、勉強における「理解できない」に相当します。

目次にキーワードを書き込んでいく

　具体的な活用法は、次のとおりです。①〜③の手順で進めていきます。

①ひととおり読んだ教科書や参考書の目次を見開きでＡ３用紙にコピーする

②目次の余白や空欄に、その章の重要なポイントを書き込んでいく。黒のボールペン１色より３色のボールペンで書き込んでいったほうがよい

③書き込んだ重要な項目を覚える

　プロセスとしては、たったこれだけ。**書き込みを加えたＡ３コピー用紙を持ち歩けば、いつでもどこでもどんなときでも復**

習することができます。重い教科書や参考書を持ち歩くより、はるかにラクで手軽です。

この目次勉強法は、必要なことだけを覚えればいいので、ムダがないし効率的です。3色に分けて記入するので、カラフルかつメリハリがきいていて、覚えやすくなります。

記入するときは目次の項目から連想されることをキーワードや文章で手書きしていきます。できれば目次の項目を見て、本の内容を思い出しながら記入していきます。

対象のページを見ながらキーワードを逐一書き込むのは悪くはないですが、アウトプットとしてはいささか弱くなります。**あくまでも目次を見て、自分の記憶の範囲でキーワードを書くのがベスト**です。

目次に書かれてあることだけを頼りに「これはどういうことだっけな？」と思い出し、なおかつ手書きでコピー用紙に記入していくのですから、アウトプットそのもの。しかもただ書けばいいというものではなく、あとで見返したときにきちんと分かるように書かなければなりません。それは内容をきちんと理解し、かつ記憶していなければできないことです。

教科書や参考書は見開きにしてもB5とかA4サイズですから、あえてA3に拡大してコピーすると、かなり余白が生まれます。それだけ書き込むスペースがあるということ。

コピーしないで教科書や参考書の目次に直接書き込むことも可能ですが、スペースが少ないため書けることが限られてしまいます。やはりA3用紙にコピーしたほうがいいでしょう。

目次に重要なポイントを記入し終えたら、それを何度も何度

も見返すようにします。**定期的に読むのもいいし、カバンに入れて持ち歩けば、時間が空いたときにサッと取り出して復習することも可能**です。持ち運びに便利なところは重宝する要因になります。

　６回も復習として活用すれば、記憶に定着しているのではないでしょうか。

覚えることを優先順位化する

　見返すときには、いろいろなやり方があります。

　オーソドックスなやり方としては、目次に記入した重要なポイントを暗唱すること。過不足なく説明できるようなら、その内容を理解し、また記憶できたと見なしていいでしょう。

　あるいは友人か誰かにその書き込んだ目次のコピー用紙を渡して、「民法の３大原則とは？」と出題してもらうと、小テストになります。

「権利能力平等の原則、私的自治の原則、所有権絶対の原則が民法の３大原則」

　この説明を聞いた相手が答えを照合して合っていたら、理解しかつ記憶できていた証拠。人に説明するとなると、「ちゃんと理解しなくちゃ」とプレッシャーがかかりますが、ゲーム感覚で楽しみながら覚えることができます。

　一緒に目次勉強法をする仲間を募って、お互いに書き込んだ目次のコピー用紙を渡して、「民法の３大原則とは？」と出題し合うのもアリです。「相手に負けたくない」という心理にな

りますから、お互いに復習するモチベーションが高まります。

3色ボールペンで記入すると、覚えることの優先順位化ができます。

たとえば、まず赤で書いたところを優先して覚える。これは必要最低限覚えなければならないところですから、テストや試験までの時間がないときは、ここだけを覚えるようにします。

次は青のところを覚える。

最後に緑のところを覚える。

このようにメリハリをきかせて段階的に復習していけば、覚えるべきことがたくさんあっても効率よく記憶できるのではないでしょうか。

予習として目次を活用する

目次勉強法は、復習だけでなく、予習としても活用できます。前日に翌日の授業で習うところの目次を見て、「これが重要だ」と思えるところは、A3にコピーした用紙にそのポイントを書き込んでいきます。

これだと翌日の授業で習うすべての箇所を読む必要もなく、重要なところを抜き出して見るだけで済みますから、忙しいとき、時間がないときに打ってつけの予習法と言えます。重要なところだけでも前もって予習していることになるので、「授業についていけない」ということもなくなるでしょう。

この復習法のポイント

目次勉強法

- 教科書や参考書の目次をA3にコピーして、重要なポイントを余白に書き込んでいく

- 重要なポイントを記入したA3コピー用紙を定期的に見返すようにする

- 重要なポイントを記入するときは赤、青、緑の3色を使い分けるようにする

- A3コピー用紙を見ながら、勉強仲間と重要なポイントを理解しているかどうかチェックし合うといい

- あらゆる科目に適用可能

ノウハウ④

暗唱勉強法

　日本人が伝統的にしていた勉強法があります。それは、「素読」です。

　江戸時代の寺子屋では、先生（師匠）が『論語』などの文章を読み上げたら、　それを聞いた生徒が一字一句同じように声に出して続いていきます。先生も1回だけでなく、何度も読み上げます。

先生「子曰く、学びて時に之を習う。亦説ばしからずや」
子ども「しいわく、まなびてときにこれをならう。またよろこ
　　　　ばしからずや」
先生「朋有り、遠方より来たる。亦楽しからずや」
子ども「ともあり、えんぽうよりきたる。またたのしからずや」
先生「人知らずして慍みず。亦君子ならずや」
子ども「ひとしらずしてうらみず。またくんしならずや」

　生徒も何回も聞いているうちに、自然と覚えられるようになり、繰り返しやっていくことでスラスラと暗唱できるまでになっていきます。ちなみに、訳すとこうなります。

　先生が言われた。学んで時おり復習する。なんと喜ばしいこ

とだろうか。友人が遠方から私を訪ねてきてくれる。なんとうれしいことだろうか。他人が自分を認めてくれないとしても、不平不満を言わない。なんと徳のある人だろうか。

先生が言ったことを聞く＝インプット
聞いたことをそっくりそのまま口にする＝アウトプット

インプットと同時に、アウトプットもしています。かなり高度な勉強法です。

声に出して覚えていく

素読は古いやり方のようですが、意外と効率的な覚え方です。
声に出しながら覚えていくと忘れにくいものです。小学校のときに暗唱した「九九」がその代表例です。
「さざんがく、さんしじゅうに、さんごじゅうご」……
何回言えば間違えたり忘れたりすることがなくなったのかは人それぞれですが、何十回と声に出したから覚えられたのは間違いありません。これも寺子屋の素読の名残でしょうか。
声に出して覚える。この暗唱を利用した勉強法は、復習にも応用できます。
『声に出して読みたい日本語』という本を出したくらいですから、私自身も暗唱にはこだわりがあるし、口に出して英単語や専門用語などを覚えてきました。
具体的にどのように暗唱するのかは、いろいろなやり方があ

ります。

　オーソドックスなものとしては、教科書やテキストで太字になっていたり、自らラインを引いたりした「罪刑法定主義」のところに来たら、そこの部分は隠して、概要を声に出して読み上げていきます。

「どのような行為が犯罪として規定され、その犯罪に対してどのような刑罰が科せられるのかは、あらかじめ法律で規定しておかなければならないという原則」

　このようにその意味を読み上げていきます。

　すでに読んだことがあるのですから、その用語についての知識もあって、内容も把握しているはずです。答えられるのは、当然です。

　しっかり理解し記憶しているかどうか。

　記憶して理解していたとしても、きちんとアウトプットできるかどうか。

　暗唱することによって、それが判明します。アウトプット主体の勉強法です。

　太字になっていたり、ラインを引いたりしたところを見て、1分も2分も「うーん、何だったっけな？」と考えているようでは理解できたとは言えません。また記憶しているとも言いがたいです。

「知っているつもり」かどうかが判明する

　見た瞬間、どんなに長くても5秒くらいの間で声に出してス

ラスラ言い始められれば、合格です。記憶し、かつ理解していたと言っていいです。

　声に出していったとしても、「えーと」とか「あのー」といった余計なことを言ったら、アウト。理解＆記憶していたと見なすのは甘すぎます。これは「知ったつもりになっている」に分類したほうがいいでしょう。

　すぐに説明できる。言い淀みなくスラスラ言える。この2つを満たしていれば、記憶と理解ができていたと言えます。次回からは素通りしてもいいでしょう。

　うまく暗唱できないようなら、時期を改めて再挑戦します。次回にうまく暗唱できたら、合格。またダメだった場合は、リターンマッチか敗者復活戦ということになります。

　こうして教科書やテキストの太字になっていたり、自らラインを引いたりしたところを何回も暗唱することによって、記憶に定着させ理解を深めていきます。6回くらい暗唱していけば、ひととおり理解できたと言っていいでしょう。

　なおこの暗唱勉強法は、友人などと交互にやると、ゲームっぽくなって、モチベーションが高まります。同じ教科書の重要と思われる部分について「罪刑法定主義とは何か？」と片方が出題して、もう片方が「罪刑法定主義とは、どのような行為が犯罪として規定され、その犯罪に対してどのような刑罰が科せられるのかは、あらかじめ法律で規定しておかなければならないという原則」と声に出して答えていきます。

　制限時間以内にスラスラと説明できたら、〇。

　制限時間をオーバーしたり言い淀みがあったりしたら、△。

内容が違っていたり、まったく答えられなかったりしたら、×。

それぞれの〇、△、×のどれが多かったかを競い合っていけば、ゲームのように白熱していきます。

「来週はここをやろう」と科目と出題範囲を決めてやれば、相手に「負けまい」とモチベーションが高まって、ドンドン覚えられるようになります。お互いに楽しみながら勉強できるので、いいことずくめです。成績が両者ともアップするのではないでしょうか。

AIを使って学習する

1人でやるときは、スマホの音声入力機能を使う手もあります。これはAIを勉強のパートナーにするものです。

教科書やテキストの太字になっていたり、ラインを引いたりしたところを見たら、スマホに「罪刑法定主義とは〜〜」と音声入力していきます。内容を理解ししっかり声に出して言うことができたら、AIが画面上に内容を表示するはずです。

その表示が正確だったら、OK。

まったく違うものが表示されたら、記憶と理解が不十分だったということです。この場合は、時期を改めて音声入力に挑戦することにします。

暗唱というアナログ的なものと、音声入力というデジタルを組み合わせる。素読とは違うタイプの現代風の暗唱法と言えそうです。

この復習法のポイント

暗唱勉強法

・教科書やテキストの太字になっていたり、ラインを引いたりしたところを見たら、瞬時に概要を暗唱する

・制限時間以内にスラスラと淀みなく言えるようなら、記憶かつ理解していると見なしていい

・アウトプット主体の勉強法

・友人とやるとゲームのように白熱する。1人でやる場合は、スマホの音声入力機能を活用する

・単語や用語を覚えなければならない科目に適用可能

デッドライン勉強法

どんなことにも言えますが、人間は追い込まれたときに力を発揮します。「窮鼠猫を噛む」「火事場のバカ力」とも言われるゆえんです。

勉強も同じ。「あと1週間」「残り時間10分」という追い込まれた状況になったとき、信じられないくらいの力を発揮して、レポートを書き上げたり答案を書き込んだりできるものです。それは、締め切りやデッドラインがあるから。

私は大学の授業で前触れもなしに学生に対して、1分間とか短めのスピーチをさせることがあります。

「今から1分間、知的で教養のある、専門的な話をみなさんにしてもらいます。『えーと』とか『あのー』とか入れないで、1分間すべてを情報で埋め尽くしてください」

こんなふうに学生にふっていきますが、慣れないうちは全員がパニックになります。とは言っても、いきなりさせるのではなく、それなりの準備はしてもらいます。ヒントも出します。

たとえば、キーワードを3つ用意して、それぞれを15秒ずつ話して、最後に3つに関連するまとめを言うようにすれば、ピッタリ1分間、内容のある話をすることができます。

情報はスマホで検索すれば、いくらでも出てきます。3分間とか5分間の準備の時間を与えれば、学生はその制限時間内に

ネタを見つけ、メリハリをきかせながら順序立てて構成された話としてまとめてきます。

　制限時間いっぱいになったら、4人くらいのチームをつくって、1人が1分間話して、残りの人が内容を聞いて、知的で教養のある、なおかつ専門的な話になっていたかどうかを判定します。

「えーと」とか「あのー」なんて余計なことを言ったら、たちまち1分になって、最後まで話ができなくなります。自分だけがうまくスピーチできなくて、残りの人がうまくできたら、恥ずかしいことこのうえありません。ほかの学生に聞いてもらうプレッシャーはかなりのもの。

　スピーチしているときは真剣にやっていますが、準備しているときの学生の表情も真剣そのもの。全員がスマホの画面を見ながらネタを探しているときの空間は、静かながら緊張感にあふれています。

　学生たちの脳は超高速回転しているようで、教室全体がエネルギーの高い空間に変質します。3分とか5分という制限時間の中で少しでもいい話を準備しようとして、学生も知的エネルギー全開にして取り組みます。

制限時間があるから真剣になる

　このスピーチも準備に制限時間があるから、真剣になります。次回までの課題にすると、ネタを探す時間も話す練習をする時間もできますが、おそらく学生もダラダラとやってイマイチ真

剣さも迫力も欠けたスピーチになってしまうことでしょう。追い込まれているから、力を発揮できるようになるのです。

この追い込まれたときの力を借りるのが、デッドライン勉強法です。

これは勉強する時間に制限をかけて、その範囲内で覚えたり問題を解いたりするものです。

「追い込まれる」と言うと、後ろ向きのかんじになりますので、デッドライン勉強法と命名します。「勉強しなきゃ」と思いながらも、なかなかやる気になれずゲームをしたり SNS をやったりする人にピッタリです。

用意するものは、ストップウォッチ。これだけ。

やり方としては、まず制限時間を「今から1時間」「午後の3時まで」と決めます。具体的には、「今から1時間問題集を10ページやる」「午後の3時まで参考書の3章と4章を読む」と決めて、そのとおり実行するだけ。

時間さえ決めれば、何をするのか、どういうふうにやるのか、どこでするのかは、各自の自由。その制限時間内にやり終えることがこの復習法のキモです。

1時間とか2時間とか制限時間を決めると、モチベーションと同時に集中力が高まります。その状態で勉強すると、何がなんでも終わらせようとして、ふだんより多く問題をこなしたり、できなかった問題も解けたりするようになります。おそらく3時間とか5時間ダラダラやるよりはるかに効果が高いでしょう。

終わりが決まっているから集中できる

　勉強時間を長く取ればいいというものではありません。5時間や6時間やったとしても、そのすべてにおいて集中して取り組んでいるかと言うと、そんなことは絶対にないはずです。ダラダラしている時間もあれば、コーヒーブレイクしている時間もありますから、実際に集中してやっている時間は正味2時間とか3時間くらいではないでしょうか。あるいはもっと少ないかもしれません。

　それなら最初から1時間とか2時間とか制限時間を設けて、「1時間で問題集を30ページやる」「今日は2時間で3科目やる」と決めて集中して取り組んだほうが、はるかに成果が出るものです。忙しいビジネスパーソンであれば、時間の有効活用ができます。

　費用対効果が高い勉強法──。それが、デッドライン勉強法です。その意味では、**学生以上にビジネスパーソン向きの勉強法**と言えそうです。

　学生、ビジネスパーソンを問わず、試験の2週間くらい前にこの勉強法を取り入れてやると、いい成績を取れたり合格できたりしそうです。

　私自身はよく安価なカフェに入って、「今から1時間」と決めて、きっちりその時間内でやらなければならないことを終わらせます。ストップウォッチを取り出して、たとえば、雑用の整理やたまっていた資料の読みこなし、原稿執筆などは、1時

間きっちりでかたづけるようにします。

　私の場合、15分のスキマ時間があったら、カフェで仕事（勉強）をします。

カフェで勉強するのもいい

　カフェで勉強する理由は、長居しにくいこと。一般的には1時間が限度でしょう。

　もし3時間勉強しようと思ったら、1軒1時間ずつ、合計で3軒3時間勉強するようにします。3軒ハシゴしても1000円ちょっとで済みますから、しっかり勉強できればコストパフォーマンスはいいです。適度にザワザワしていますが、勉強する環境としては悪くはありません。

「お金がもったいない」なら図書館や塾の自習室などでするのでもいいです。その場合、長居するのではなく、あくまでもデッドラインをきっちり設けてそれを守るようにします。

この復習法のポイント

デッドライン勉強法

- 勉強する時間を1時間とか2時間とか決めて、その時間内で集中して取り組む

- デッドラインがあると、「この時間までに終わらせよう」というモチベーションが高まると同時に集中力が働く

- 長時間ダラダラやるより、はるかに効果が高い

- カフェやファミレスで1時間と決めてやるのもいい。それ以上勉強する場合は何軒かハシゴする

- あらゆる科目に適用可能

ノウハウ⑥

範囲限定勉強法

　苦手な科目でも復習できるようになる——。それが、「範囲限定勉強法」です。

　苦手な科目については、「やろう！」というモチベーションが上がらないものです。

苦手→勉強しない→成績がよくない→苦手→勉強しない→成績がよくない……

　このサイクルを続けていくと、成績は下降する一方。「苦手を得意科目でカバーする」という考え方もありますが、リスクが大きすぎます。本番の試験において、得意科目でミスした場合は取り返しがつかなくなります。

　取り組みたくない気持ちは分かりますが、点数を上げやすいのも事実。**苦手科目で20点でも30点でも上積みできれば、成績はよくなるし、試験で合格する確率も上がります。**

　やってソンはない。むしろやってトクする。それが、苦手科目です。

苦手科目の比較的とっつきやすい単元を選ぶ

　問題はどのように取り組めばいいのか。モチベーションが上がらないと、やはりなかなか前向きに取り組もうという気にはなれません。

　やり方としては、範囲を決めて、そこだけを勉強する。これをとっかかりにしていきます。

　苦手科目であっても、最初から最後まで全部が「分からない」「できない」ということはあまりないでしょう。2つか3つくらいは、「面白い」「なんとなく分かった」という箇所があるものです。

　あるいはテストや模試で比較的点数が取れるところ。苦手でもさすがに0点ということはなくて、どんなに点数が低くても1カ所か2カ所くらいはスラスラ解けてしまうこともあります。

　文系の人で数学を苦手にしている人は多いですが、そのすべてが「分からない」「できない」ということもないでしょう。理系の人で、社会や国語を苦手とする人もいそうですが、それらの科目の中には好きだったり得意だったりするところもあるものです。

「微分積分はあまりよく分からないけど、数列ならなんとなく分かる」

「古文漢文はもうまったくチンプンカンプン。現代文なら少しはできるかな」

そうした自分が比較的やりやすいところを選んで、そこだけを勉強していきます。苦手科目の中の比較的できるところを選んで、まずはそこだけでも理解できるようにします。

モチベーションを高める工夫をする

　頭では分かってはいても、苦手科目はやはりなかなか積極的に「やろう！」とは思えないものです。強力なモチベーションが必要です。

　その１つに「制限時間を設ける」があります。お尻を決めて「今から15分だけ」「今から30分だけやる」と決めて、その時間内だけは集中して取り組んでいきます。

　範囲を限定して、その部分だけは理解できるようにするためには、このくらいから始めるので十分です。苦手意識がどこかにあるので、30分とか１時間もしたら「もういいや」「このくらいで十分」と、興味も失せてくるでしょう。

　モチベーションが切れた証拠ですから、それ以上の時間をかけても無意味。ここで切り上げます。それでも続けていくうちに、理解が進むようになってきます。

理解する→面白くなる→もっとやりたくなる→理解する→面白くなる→もっとやりたくなる

　このような好サイクルに入っていくと、成績もちょっとアップします。苦手意識もいくらかやわらいできます。

ここまで来たら、制限時間をもっと増やす。あるいは比較的得意なところから、やや苦手としているところまで範囲を広げる──。

　時間と取り組む範囲を広げていくことで、苦手科目の克服へと進むことができます。モチベーションもかなり高くなっていることでしょう。

一点突破から全面展開へ

　苦手科目に正面から向き合おうとしても、なかなかうまくはいかないものです。むりやりやろうとすると、かえってアレルギーが強くなりかねません。

　苦手の中の一部のできるところを探して、まずはそこを強化する。一点突破のようなやり方ですが、そこから範囲を広げていけば、いずれ全面展開できるようになるかもしれません。

　ムリしない。焦らない。逃げない。

　そうした気持ちでできるところだけに絞って勉強していけば、少しずつ成績も上がっていきます。いきなり30点、40点アップすることはなくて、５点とか10点くらいかもしれません。

　苦手としているのに、それだけ点数が上がれば大したものです。実際に点数が上がると、効果を実感して、以前よりも苦手意識が少なくなります。

　あとは**時間と範囲を広げていって、点数を底上げできれば、全体の得点が上がって、合格も近づいてきます**。30点、40点アップも夢ではありません。点数を上げやすいからこそ、苦手

科目には工夫しながら取り組んでいったほうがいいのです。

この復習法のポイント

範囲限定勉強法

- 勉強する範囲を「ここからここまで」と決めて、そこだけは理解できるように取り組む

- 苦手意識があると、どうしてもモチベーションが高まらないので、勉強する範囲を狭くする

- 制限時間を設けて、「今から30分」とかお尻を決めてやると、前向きに取り組みやすい

- 狭い範囲でも理解できるようになれば、そこから徐々に勉強する量と時間を広げていく

- 苦手としている科目に適用するとよい。科目全体ではなく、単元だけで適用するのも可

問題集 1 冊勉強法

　試験勉強に欠かせないものは、問題集。問題集を一切やらない人はまずいないでしょう。本番のテストを想定した問題が載っているので、それがどれくらいできるかは、自分の実力を測るバロメーターにもなります。

　どの問題集を選べばいいかは、悩ましいものです。難しすぎてもダメだし、カンタンすぎるのもムダが多い。どちらもモチベーションが続きません。

　どれが自分に合うか分からないので、よさそうなものはかたっぱしからやろうとする人もいますが、やめたほうがいいです。お守りのようにいくつも問題集を持っている人もいますが、それは得策ではありません。

　このタイプは何冊も持って、それらすべてをやろうとすることで安心したい人です。確かに「あれもよさそうだ」と目移りして何冊も持ちたくなる気持ちは分かります。問題集 A に載っていないような問題が問題集 B にあれば、「あっちもやろう」と思うのは自然な感情でしょう。もし問題集 B をやらないでいると、試験に不合格だったときに「B をやっておけばよかった」と後悔することでしょう。そうならないように、ほかの問題集にも手を出してしまうのです。

　問題集 C に問題集 A にも問題集 B にも載っていない問題が出

ていれば、「あれもやらないとマズイ」と思ってしまって、C
もやろうとする。こうして問題集の数だけ増えていきますが、
残念ながら比例して成績が上がるわけでもありません。むしろ
成績が伸び悩むか、逆に下がってしまうこともあるでしょう。

　問題集は基本的にその科目の試験に出そうな範囲のすべてを
網羅しています。問題集によって違う問題があるのは当たり前
で、それはつくっている人が本番に出そうな問題を想定してい
ろいろなパターンを揃えているから。問題集Aと問題集Bで違
う問題があるのは、つくっている人がそれぞれ「こういう問題
が試験に出そうだ」と思って作成しているだけで、よく見れば
似たような問題です。

　違うと思っていても似たような問題をやっていることになる
ので、問題集をいくつもやっても、結局は同じ問題を繰り返し
やっていることになります。

　それができる問題であれば、やる必要もない問題を何回も繰
り返すことになります。同様に、苦手としている問題も何回も
やることになりますが、その度に間違えてしまうでしょう。な
ぜなら弱点を克服できていないから。

　**問題集をいくつかやっても、弱点を克服できない限り、成績
が伸びることもありません。**この状態で本番の試験を受けても
合格が近づくこともないでしょう。

　誤解している人は多いようですが、問題集は正解をたくさん
出すことに意味があるのではありません。**解ける／解けないは
二の次で、解き方を身につけることに最大の意味があります。**

　問題をやってみて、正解が分からなくても、ガッカリしなく

ていいです。それは、自分ができない問題、苦手な問題がどういうものか把握できたということ。むしろ何を理解できていて、何を理解できていないのかを正確に認識することのほうが大事です。

解説を見て解き方を学ぶ

　ここまで問題集との付き合い方をお話ししてきましたが、どういうものを選べばいいのかと言うと、基準は2つ。

　1つは、解説が充実していること。**もう1つは、薄いもの。**

　問題集をやって、できない問題がたくさんあってもいいです。それは実力がないということではなく、解き方が分かっていないだけ。

　問題をやってみてできなかったら、解説をじっくり読みます。それを見て解き方が分かったら、OK。これまで知らなかった解き方を身につけたということです。

　もう1つの「薄い問題集」を選んだほうがいいのは、1冊を通してやれるから。1冊通してやれば、その科目の出題範囲を一応カバーしたことになります。その中のできない問題、苦手な問題を克服していきます。

　問題集をいくつもやる人は、実はいずれも通しでやっていないことが多いようです。問題集をAもBもCもやってみたものの、いずれも1冊通しでやっていなければ、出題範囲のすべてをカバーしたことになりません。中途半端な理解と知識のままなので、実力が伸び悩んでしまうのです。問題集をいくつもや

ることの弊害を分かってもらえたでしょうか。

　薄い問題集を1冊やる——。これが、復習法の1つとなりますが、具体的なやり方はこうなります。

　まずは問題集を最初から最後までひととおりやっていきます。このときできる問題には「○」を、できない問題には「△」をつけていきます。

　やってみて、できない問題がたくさんあったとしても、気にする必要はまったくナシ。**できない問題は解説をじっくり読んで、解き方を頭に叩き込んでいきます。**

　薄い問題集ですから、1カ月とか2カ月あれば、通しでできるのではないでしょうか。これが、1回目。

　2回目には、1回目でできない問題だけをやっていきます。できない問題が3分の2あればそのすべて、半分あるとしたらその全部をやっていきます。

　ここでもできた問題には「○」を、できない問題には「△」をつけていきます。2回目をやった問題には「△○」か「△△」のどちらかのしるしがつくことになります。

　3回目には、この「△△」がついた問題だけをやっていきます。2回目に比べてかなり減っているはずですが、ここでもできない問題があれば「△△△」とつけて、解説を読んで解き方を記憶するようにします。

　このようにできない問題だけを繰り返しやっていきます。5回か6回同じ問題集をやっていけば、試験科目の出題範囲をほとんどカバーできたことになります。

　本番で似たような問題が出たときには、解き方をしっかり身

につけていますから、「これはあの問題のように解けばいい」とピンと来るはずです。解き方を応用していけば、慌てずに解けるようになっているでしょう。

　やる度に取り組む量が減っていきますが、これが「復習」のマジック。できない問題だけをやるのは弱点を克服することなので、それができるようになると、当然、成績は上がっていきます。

薄いほうが達成感を得られる

　復習するタイミングは前回やったときから2週間から1カ月の間くらい。それより間隔が短いと、解説を覚えている可能性があるので、自力で問題を解けたのかどうか微妙な状態です。ある程度の間隔を取ったうえで前回できなかった問題を解けるようになったとすれば、「できた」と見なして「〇」をつけてもいいでしょう。

　薄い問題集にする最大の理由は、何回も繰り返せること。分厚い問題集にしてしまうと、最後まで到達できない可能性もあるし、何より何回も繰り返しやることができません。試験科目のすべてをカバーできないことになるので、当日、解き方が分からない問題が出たときに、お手上げになりかねません。

　薄い問題集1冊と聞くと、「これだけしかやらないけど、大丈夫なの？」と不安になる人もいるでしょうが、キッパリ言います。大丈夫です！

　何回も繰り返しやれば、記憶も理解も進んで、成績がアップ

します。「これだけしかやらない」ではなく、「これだけやれば十分」だと思って、目移りせずに何回でもやっていきましょう。

　数字だと、『大学への数字　1対1対応の演習』シリーズは、内容が充実しているのに薄くて評判がいいです。合格した東大生の中には、これを5～6周したと言う人も多く、いい問題集のモデルになります。

この復習法のポイント

問題集1冊勉強法

- 問題集は解説が充実して、なおかつ薄いものを1冊選んで、それだけをやる

- 問題集をやる意味は、解き方を身につけること。できない問題がたくさんあっても気にすることはない

- ページが少なくても、1冊をやりきると、その科目の試験に出る範囲を網羅したことになる

- できた問題は再びやる必要はない。できない問題は2週間から1カ月空けて、改めてやるようにする

- あらゆる科目に適用可能

全文音読CD勉強法

　英語やフランス語、ドイツ語といった外国語は、読解力だけでなく、リスニング力、スピーキング力も身につけなければなりません。この３つを同時に身につけることができるのが、「全文音読CD勉強法」です。

　この勉強法は、大きく分けて３段階あります。

　まずは英語なら英文の日本語訳を読んでいきます。フランス語なら仏文の日本語訳、ドイツ語なら独文の日本語訳（以下は、英語だけの例で説明します）。

　先に読むのは、英文ではなく日本語訳のほう。日本語訳を読みながら、ここは重要と思う箇所に赤、まぁまぁ重要と思うところを青、個人的に面白いと思ったところは緑でラインを引いたり、〇で囲んだりします。読む量は、１章分くらいを目安にするといいでしょう。

　ひととおりしるしをつけながら読んだら、今度は英文に移ります。日本語訳の赤、青、緑でしるしをつけたのと対応していると思われる英文の箇所にそれぞれの色でしるしをつけていきます。その色でしるしをつけたところを重点的に見ながら、英文全体を読んでいきます。

　そうすると、「なるほど、こういう訳になるのか」「あの文章は英語ではこう表現されるのか」と、英語の文法や構造がすん

なりと頭に入ってきます。

　日本語訳を先に読むのは、全体を把握しつながりを理解するため。英文だけを読もうとすると、どんなことが書かれているか１文ずつ意味を理解しようとして、かえって全体を把握しにくくなることもあります。

　１文ずつ追っていくと、ワンセンスの意味を理解することにしゃかりきになって、往々にして最初のほうに読んだ文章の意味を忘れることもあります。そうすると、つながりが見えてこないので、英文全体を把握しにくくなってしまいます。前に読んだところに戻って確認しながら読むと、時間も手間も必要以上にかかってしまいます。

外国語を読むスピードが上がる

　先に日本語訳を読んでおくと、英文に入る前に１つ１つの文章の意味が分かって、なおかつ全体を把握できるようになっています。 １文ずつ訳して意味を理解することに汲々とすることがなくなるのです。

　もう１つ言えるのは、読むスピードが上がること。先に意味が分かっているから当然なのですが、ハイスピードで英文を目で追えるようになります。読むスピードが速いと、試験でも慌てずに「わぁー、こんなにあるのか！」とビックリするくらいの長文の英文でもスラスラ読めるようになっています。

　英文を読み終わったら、最後のステップに移ります。英文を見ながら音読 CD を聞きます。意味も分かっているし、単語も

分かっているから、音読された英文も聞き取りやすくなります。

　特にプロのナレーションの英文を聞くと、スーッと英文が頭の中に入ってくることでしょう。たとえば、元モンティ・パイソンのエリック・アイドルさんが朗読している CD は、見事なものです。

　感情豊かに、抑揚をつけて読んでいるので、話すスピードが速くても英文の意味がつかめます。またイントネーションも自分のカラダに染み込ませることができます。

　速く話される英語も聞き取れるし、そのスピード感覚が自分の中に形成されていきます。実際に自分でもそのスピードで音読できるようになるし、相手がバーッとどんなに速くしゃべっても聞き取れるようになっています。

リスニング力も向上する

　日本語訳を読む。英文を読む。音読 CD を聞きながら英文を読む。このプロセスが一連の流れです。

　これを4回、5回、6回と繰り返していきます。回数を重ねるごとに読むスピードも速くなり、聞き取る力も向上していくのは間違いありません。

　この全文音読 CD 勉強法を試してもらったら、「リスニングがよくなりました」という生徒が続出しました。なかには「センター試験でリスニングが満点でした！」と報告しに来た生徒もいたくらいです。

一石四鳥の語学学習法

　全文音読CD勉強法は、語学の復習にピッタリです。リスリングだけでなく、発音もよくなりますから、一石二鳥どころか一石三鳥にも一石四鳥にもなります。

　どんな英文がいいのかと言うと、個人的におススメするのは、カズオ・イシグロの『わたしを離さないで』やアガサ・クリスティーの『オリエント急行殺人事件』。ロアルド・ダール『チャーリーとチョコレート工場』を朗読しているエリック・アイドルさんのようにナレーションがうまい人をナレーター買いするのもいいでしょう。

　村上春樹さんや柴田元幸さんなど、翻訳者の指名買いもアリです。お2人とも丁寧に訳しているので、日本語訳にも、また対応する英文にも線を引きやすいし、原文をスムーズに読み込むことができます。

　CDつきの教材だとお金がかかるのは事実です。「お金を出すのはちょっと」という人には、今はインターネットで調べれば音源データがいくつもあるでしょうから、探す手間を惜しまなければ、いい教材が見つかるかもしれません。

この復習法のポイント

全文音読CD勉強法

・外国語は日本語訳を読む、原文を読む、音読CDを聞くという3ステップで学習する

・日本語訳の重要なところに線を引いたら、原文の同じところにも線を引いていくと、文法力や読解力が上がる

・ハイスピードの朗読を聞きながら原文を読むと、外国語を読むスピードが上がる

・感情豊かで抑揚の効いたナレーションの音読CDを聞くと、リスニング力が向上する

・あらゆる外国語に適用可能

ノウハウ⑨

生理感覚勉強法

　語学の復習法は、ほかにもあります。私が大学の授業で行ったものですが、名づけて「ゲロー・イングリッシュ」。

　正誤の混ざった英文を先生が適当に言い、誤った英文のときは、思いっきりゲロを吐くように「ゲーッ」と吐き出すポーズをしてもらい、合っているときはスーッと胸をなで下ろすポーズをしてもらうというもの。

　たとえば、「He play tennis.」は三単現の「s」が抜けていますから、文法的に間違っています。この文章を見たり聞いたりしたときには、「ゲーッ」と吐き出すポーズをしてもらうということ。

　同じように「He plays tennis.」は文法的に正しいので、正解。この文章を見たり聞いたりしたときには、スーッと胸をなで下ろすポーズをしてもらうということ。

「He plays tennis.」

「Do he play tennis?」

「She have a ball.」

「I have a ball.」

「Does you play tennis?」

　こうした英文を順々に見せていって、その度に「ゲーッ」と吐き出すポーズをしてもらったり、スーッと胸をなで下ろす

ポーズをしてもらったりします。一種のゲーム感覚でやってもらうということです。

　こういうやり方を考えたのは、私が大学で教師を目指す学生を指導しているからでもあります。彼らが生徒に勉強を教えるときのことを考えて、「こういうやり方もあるよ」「こうやると生徒が熱心に勉強してくれるよ」というアドバイスを含めて、授業で実践しています。

　この「ゲロー・イングリッシュ」は学生には大変好評で、もしかしたらそのうち教壇に立った彼らが日本のどこかの学校で実際に行うかもしれません。私自身、「流行らせたい」と思っているのですが、どうなることでしょうか。

間違いに違和感を持つようになる

　遊びの感覚を取り入れてはいますが、遊び半分でやっているのではありません。「ゲロー・イングリッシュ」を始めたのは、生理感覚を習得することが目的です。

　三単現の s は英語を母語にしている人にすれば当然のことで、何の違和感もなく「He plays tennis.」と口にします。英語を習おうとする日本人が「三人称の動詞にはsをつけるんだっけ？」といちいち頭で考えながら話をするのとはわけが違います。

　英語を母語にしている人が三単現の s をいちいち気にして会話しないのは、生理感覚として身についているから。「He play tennis.」と誰かが言ったのを聞いたら、ものすごい違和感を覚えます。「三単現には s をつける」という生理感覚が身につい

150

ているから、自分では言わないし、人が言ったら「それは違うよ」と指摘するようになるのです。

　生理感覚を身につけると、英語を読んだり聞いたりしたときに「これは合っている」「これはおかしい」と自然に判別できるようになります。文法を事細かく習うよりむしろ生理感覚を身につけたほうが語学を学びやすくなるように感じます。

ネイティブの感覚を身につける

　英語を母語にしていない日本人にすれば、「He play tennis. でも別にいいじゃん」と思ってしまいますが、それは生理感覚が身についていないからにすぎません。その感覚が身についていれば、「He play tennis.」に違和感を覚えるし、「He plays tennis.」と自然に言えるようになっていきます。文法に悪戦苦闘することもなくなるでしょう。

　生理感覚を身につけていくと、ネイティブほどではなくても、やがて英文を読みこなしたり、リスニングやスピーキングがうまくなったりするようになるでしょう。実は、**身体論に基づいた画期的な学習方法**なのです。

　どういうふうに生理感覚を身につけながら、復習をしていくのかと言うと、英語で間違ったところを抜き出して、それを重点的に繰り返しやっていきます。「ゲロー・イングリッシュ」を応用したものです。具体的には、テストや模試で間違えた英文をカードやノートに書き写して、それをひたすら繰り返し見ていきます。

間違えた英語を見て、「これはおかしい」と思ったら、「ゲーッ」と吐き出すポーズをします。「これは合っている」と思ったら、「フー」と言いながら胸をなで下ろすポーズをしていきます。このポーズが恥ずかしかったら、たんに「手をクロスさせて×をつくる」とか「両手で大きく○をつくる」というポーズでもいいでしょう。ジェスチャーをするのは、カラダに感覚を落とし込むためです。

　間違えた英文すべてについてやっていきますが、「すべて間違いがある問題なのだから、不正解だと分かるはず？」と思う人もいるかもしれません。ですが、なぜ間違っているのか、どこに誤りがあるのかは、なかなか気づかないものです。間違えたまま覚えてしまうこともあるでしょう。

頭の中で翻訳し直さない

　間違いはスペルの場合もあるし、文法がおかしいところもあります。パッと見て気づかないとすれば、間違いに気づいていないし、理解していないということ。それに気づくためにも、生理感覚を身につけていきます。

　繰り返しやっていくと、「ここが間違っていたのか」と自然に気づけるようになります。さらに繰り返していくと、「三単現にはｓをつけるんだっけ？」と頭で考えることなく、英文を見た瞬間に違和感を覚えます。ネイティブほどでなくても英語の生理感覚が少しずつ身についてきます。

　この感覚が身につくと、英文を聞いたり読んだりするときに

頭の中で日本語に訳し直したりすることなく、理解できるようになります。カンタンにはいきませんが、繰り返しやっていくことで身につくようになるはずです。

この復習法のポイント

生理感覚勉強法

- 外国語で間違えたところを集めたカードやノートを見て、瞬時に「合っている」「おかしい」とジェスチャーを交えて判定する

- 文法やスペルのおかしなところは、本人がなぜ間違っているのか気づいていないことが多いが、それは生理感覚が身についてないから

- 生理感覚が身についてくると、文法やスペルなどの間違いに対して瞬時に違和感を覚えるようになる

- 生理感覚が身についてくると、原文を見てもいちいち頭の中で日本語に訳し直すこともなくなってくる

- あらゆる外国語に適用可能

穴埋め問題勉強法

「次の空欄を埋めなさい」

テストではよくこのような穴埋め問題が出題されます。これを復習法として活用するのが、穴埋め問題勉強法です。

穴埋め問題のほとんどは単語や用語ですから、知っていればできるし、知らなければ空欄のままか、まったく違うことを書くようになるかのどちらか。

何回も何回も勉強して記憶に定着させたとしても、それがテスト本番のときに単語や用語として出てこなければ意味がありません。再現力と言うか思い出す力が問われるのが、穴埋め問題です。

もっともただ覚えていればいいというものでもなく、何より文字やスペルが正確でなければならないのは、言うまでもないことです。口頭で答えられればOKではなく、記述式問題では手書きで正確に書けなければ正解にはなりません。

自分の手で書いて覚えていく──。それが、穴埋め問題のツボです。

そもそも**何か空欄があると、人は答えを知りたくなる**ものです。たとえばテレビのクイズ番組で正解を示すスペースが空欄になっていて、「正解はCMのあと！」と言われると、答えを知っていたとしてもつい確かめたくなって続きを見てしまいま

す。

　空欄があると、気になってしまう。あるいは埋めたくなってしまう……。それが、穴埋め問題の持つ特徴です。

　これを復習法として取り入れるとしたら、問題集の穴埋め問題をやるのが1つ。ただし、1冊まるごと穴埋め問題で構成されている問題集などないので、やってもすぐに終わってしまいます。

　問題集の穴埋め問題では精力的にやるのは難しいので、ほかに代わりとなる方法を提案しましょう。それは、穴埋め問題を自分でつくること。

自分で問題をつくると、出題者の意図が読める

　自分で問題をつくると何がいいのかと言うと、出題者の意図が読めるようになること。問題を自分でつくるようになると、出題者の意図がなんとなくでも分かってきます。

「こういう問題をつくると、受験生は間違えやすいな」

「これはひっかけ問題だな」

「これは本当の知識力が試される問題だな」

　問題を見るだけで意図が読めてくると、本番でも余裕を持って臨めるようになります。

　意図が読めたからと言って、必ず正解できるというわけではないにしても、何も考えずにひたすら問題を解こうとするほかの受験生よりは間違えにくくなったり、いち早く正解にたどり着けるようになったりします。自分で問題をつくらなければ分

からないことなので、やらないよりはやるほうがアドバンテージができます。

クイズをつくるかんじでいい

実際にどんな問題をつくればいいのかと言うと、自分がテストや模試で間違えたところや、授業を聞いてもイマイチよく理解できなかったところを中心にします。

自分でつくる問題については、クイズ番組の問題の形式にならうといいでしょう。

自分で説明文を実際に書いて、正解が入る空欄スペースを設けます。説明文をつくるのも教科書や参考書の丸写しではなくて、工夫をします。

教科書や参考書を読むというインプット。

説明文をつくって書くというアウトプット。

問題を読んで空欄スペースに書くというアウトプット。

正解を確認して、もう1回説明文を読んで正解を記憶するというインプット。

このように**インプットとアウトプットが繰り返されて記憶力が強化される**とともに、理解力も深まります。

1つの説明文に4カ所とか5カ所とかの空欄をつくると、かなり長い文章になりますが、理解力がないと自分で問題をつくることも解くことも難しくなります。教科書や参考書の重要なところを暗記ペンでマークをして、上から暗記用シートで隠すとその部分が見えなくなるものがあります。これの応用編とも

言うべきものです。

　どんな文章をつくるのか、どこを空欄にするのかは、自由。

　友人につくった問題を見せて、なかなか解けないようなら、完成度が高いと判断してもいいでしょう。

　すぐに解けないような問題をつくるのは、意外と楽しいものです。

自分で問題をつくると、理解力が深まる

　長い文章からなる問題をつくると、記述式の問題で役に立ちます。

　ポイントを押さえながら、意味が通って、しかも制限時間以内にまとめるのは、一朝一夕にできることではありません。自分で長文の問題をつくるようにすると、記述式のトレーニングにもなるので、やってみてもソンはないでしょう。

　テストで間違えたところ、理解が浅かったところを中心にして、自分で問題をつくっていきます。自分でつくるのは「面倒」「手間がかかる」と思うかもしれませんが、上述したようにメリットはあります。

　ほかの勉強はしっくりこなかった、あるいは市販されている既存の問題集をやるだけではもの足りない人には、ピッタリの方法です。

　最後になりますが、問題をつくること自体が理解力を身につけることであり、それを解いていくことでより深めることにつながります。自分で問題をつくるのは、二重三重に理解力を強

化する方法と言えるでしょう。

この復習法のポイント

穴埋め問題勉強法

・テストで間違えたところ、理解が浅かったところを中心にして、自分で穴埋め問題をつくって、覚えていく

・説明文を読んで答えるもの、長文の中にいくつも空欄をつくって答えるものがある

・インプットとアウトプットを同時に行える

・問題をつくることで理解力が身につき、実際に解くことでさらにそれが深まっていく

・単語や用語を覚えなければならない科目に適用可能

復習のタイミングは
いつがいいのか？

　私の授業では、同じテーマをたとえ1回で終わらせることができたとしても、前半、後半の2部に分けてやるようにしています。

　1回の授業で完結してしまうと、復習している人は別にして、翌週の授業までにすっかり忘れてしまう人が出てきます。復習は学生の自主性に任せているのですが、なかにはしてこない人もいます。復習している人とそうでない人は、次の授業を受けるときの理解度が明らかに違います。

　それを避けるために、授業を2部に分けることにしました。具体的に言うと、授業の前半では、前回の授業の復習になることをやり、後半では新しい内容をやります。前半では、前回に出した課題をプレゼンしてもらいます。

　こういうかたちで2部に分けています。課題の発表もあるので、前回の内容を忘れることはないし、そのうえ授業でも復習ができます。こうして2部に分けて授業することで、記憶に定着し、理解力も深まります。

「復習のタイミングはいつがいいか」については、諸説あるようです。

海馬の記憶保存期間は1カ月

　池谷裕二さんによると、脳内で大量に送られてくる情報を取捨選択するのが海馬で、その記憶保存期間は、長くて1カ月。

　その1カ月の間に復習をして海馬に情報を繰り返し送り続けていくと、これは「重要だ」と判断して、記憶の貯蔵庫である「側頭葉」に「覚えておくように」と指示して覚えたことが保存されます。つまり、1カ月で6回というペースで復習をすると、効率的に記憶できると言えそうです。

　さすがにこのペースではきついので、1カ月以内に何回か復習してそれ以降は6回まで自分のペースでやるのがいいかもしれません。ともあれ、自分のペースで復習のタイミングを決めて、スケジュール化するのがいいでしょう。

復習のスケジュールを決めてしまう

4章

ノート＋図で復習する

ノートを取るべき人、
取らなくてもいい人

　前章では復習のさまざまなやり方について、お話ししてきました。自分に合ったものを取り入れたり、自分に合うようにアレンジしたり組み合わせたりしたら、復習が自分のものになっていくでしょう。

　復習力が身につけば、覚えたことをしっかり記憶し理解できるようになります。本番の試験でそれが再現されて、あなた自身を合格に導いてくれることでしょう。

　この章では復習におけるノートの使い方に特化して、お話ししていきます。**復習とノートは、相性バツグン。**

　前章のやり方がしっくりこなかった人、もっといいやり方を求めている人は、ノートによる復習を模索してみましょう。いくつか紹介しますから、あなたにジャストフィットするものがあるのではないでしょうか。

　具体的に、使い方を説明する前に、どんなタイプがどんなふうにノートを使っているのかについて見ていきます。

①板書をノートに写すだけの人

　高校までの授業では、先生が授業のポイントを黒板に書いてくれることがほとんどです。いわゆる「板書」です。

　この板書をノートにきっちり書いている人は多いですが、厳

密に言えば、「ノートを取っている」とは言えません。それは、黒板に書かれていることをたんにノートに写しているだけ。

　何よりも頭をまったく使っていません。ノートを取ることが目的化してしまっています。

　今ならスマホのカメラで撮ってしまえば、1秒でできてしまうことを授業中にせっせとしています。**板書を一字一句ただ写しているだけでは、あまり意味がありません。**

　大事なことはその書かれたことを記憶し、理解すること。板書を写すだけで授業を受けた気になっている人が多すぎます。これは、先生が「板書するように」と勧めていることにも原因があるように思います。

　板書を写すことから一歩も二歩も進んだノートの取り方――。そこを目指してもらいたいのです。

②ノートをまったく取らない人

　このタイプは、2種類あります。

　1つは、授業内容をほぼ完璧に頭に入れている人。こういう人は、授業内容を聞いてしっかり理解できています。それで成績がいいのであれば、ムリにノートを取らないほうがいいかもしれません。

　前章に挙げたような復習のやり方をすれば、しっかり記憶し、テストでも再現できるようになっているでしょう。もしこの人に「授業中はノートを取るように」と厳しく言って実践させたとしたら、理解することがおろそかになって、かえって成績が下降しかねません。

ノートを取るべき2つのタイプ

　もう1つは、ノートを取りたくない人。授業もイヤイヤ受けていて、勉強をする気もまったくなく、当然ながら、ノートなんか取ろうともしません。授業は「出ればいい」と思っているので、内容を理解しようともしないし、成績もそれに比例することになります。

「成績なんてどうでもいい」と思っているのなら別ですが、少しでも「よくしたい」のであれば、ノートを取ること。そのうえで記憶と理解に結びつくノートの取り方を身につけていく必要があります。

　この章でノートの取り方を身につけるべきなのは、「板書されたことだけを書く人」と、「記憶力が抜群ではないのに、ノートをまったく取っていない人」です。この人たちに有効なノートの取り方、使い方をこれからお話ししていきます。もちろん、それ以外の人にも役立つ内容であることは保証します。

ポイント

きちんとノートを取って、成績をアップさせる

ノートを構造化する

　ノートの取り方の基本としては、概ね2つあります。そのどちらも身につけるといいですが、まずはどちらか1つだけ。それができたら、もう1つを身につけるといいでしょう。

　数年前に『東大合格生のノートはかならず美しい』という本がベストセラーになりました。そこには、東大生が取ったノートが紹介されていましたが、確かにキレイで、しかも分かりやすかったことを覚えています。

　キレイというのは字のことではなく、見た目のことです。紹介されているノートを見て、私は「やっぱりな」と思ったのですが、それは学生時代に友人たちが取っていたノートもやはりキレイだったからです。

　大学の授業ともなると、先生がいちいち板書することはめったにありません。なかには、一字も黒板に書かない先生もいたくらいです。

　授業の内容を理解するには、先生の話を聞いて、自分の中に落とし込んでいくしかありません。このとき先生の話を聞きながら、理解した内容をノートにしっかり書きとめている学生がいたのですが、授業が終わって見せてもらったところ、ビックリしたことを今でも覚えています。

　先生の話が過不足なく要領よくまとめられていました。しか

も重要なところと、それに付随する細かいポイントが書き分けられていて、誰が見ても、その授業の概要が理解できるというものでした。

あまりの出来のよさに「東大に来るような学生はノートの取り方もスゴイものだな」と思ったものです。それは私だけでなく、周りの人たちも「これは売ったほうがいいよ」と勧めるほど。何人もの東大生が感心したそのノートを今お見せできないのは、本当に残念です。

空中に消えていく言葉を書きとめる

話を聞きながらノートを取る──。これ自体が、とてつもなくスゴイ能力です。

黙ってただ聞いているだけだと、話している言葉が空中に消えていってしまって、もう二度とつかまえることはできません。網でひらひら舞う蝶をパッとつかまえるように、**空中に消えつつある言葉をつかまえて、ノートに書きとめていくと、あとで何度も読み返すことができます**。消えてしまった言葉を思い出せなくて後悔することもなくなります。

いいノートの特徴をひと言で言うと、「構造化されている」ということ。要点がコンパクトに項目ごとに並べられて書かれていました。

具体的に言うと、こうなります。**授業を聞いていて、ポイントを的確につかむ。そのうえで大項目、中項目、小項目に分けてノートに書いていきます**。

大項目は最重要キーワードといったかんじです。講義中に3つか4つはあるでしょうか。1、2、3……と記すとします。

　1つの大項目には、重要だと思われるいくつかのキーワードがあります。これが、中項目。①、②、③……と記します。

　それを1−①、1−②、1−③……と枝分かれするように明記していきます。その中項目の下には細かいキーワードがあって、今度はそれが小項目になります。a、b、c……と記すとします。

　1−①−a、1−①−b、1−①−c、1−②−a、1−②−b、1−②−cというように、さらに細かい枝分かれをしていく。こうして全体を網羅していきます。コンサルティング業界でよく使われるロジックツリーをイメージしてもらえれば、分かりやすいでしょうか。

　話を聞いて理解できている。なおかつそれをノートにまとめていく——。

　授業中にこの2つを両立させるのは、至難の業です。インプットとアウトプットを同時に行うようなものです。**授業中に復習を行うようなものですから、これができる人は記憶力も理解力もアップする**のは間違いありません。

キーワードを取捨選択する

　こういう構造化ができるようになると、結果として授業の内容をより理解できるようになります。キーワードをつかみとる力がつくので、重要なところとそうでないところを分けられる

ようになって、覚えるべきところを要領よく記憶できるように
なります。いくつか出てくる重要なキーワードをまとめて覚え
れば、その授業で先生が言いたかったことをすべて網羅するこ
とになります。

　もっとも、話の一言一句を聞き漏らすまいとして、全神経を
研ぎ澄ますことはありません。速記者のようにすべてを書き写
すのは、ほとんどの人にとって難しいことです。集中して聞こ
うとすればするほど途中で疲れてしまって、やる気も失せてし
まうでしょう。

　**ノートに構造化するとしても、書かれた文字は先生の話した
うちの10分の１くらい**です。それは、話の取捨選択をした結
果です。

　聞きながら、「重要だ」と思われるキーワード、「まぁ重要だ」
と思われるキーワード、「面白い」「感動した」と思ったキーワ
ード以外は、捨ててしまってかまいません。
「これは重要だな」
「これはまぁ重要なところだな」
「これは面白い／感動した」
　そう思えるところがあったら、そこだけ集中して聞いて、ノ
ートに書くキーワードを絞っていきます。

　授業中にノートを取りながら、そうした整理をすれば、復習
するときも覚えるべきところ、忘れてはならないところに重点
的に取り組めばいいので、効率よく学ぶことができます。構造
化したノートを取ると、復習するのもラクになります。

図2　構造化の例

●記憶の種類
　1 長期記憶　　　　　　　　　　　　　　　　　←大項目
　　①陳述記憶…言葉にできる記憶　　　　　　　←中項目
　　　a 意味記憶…言葉の意味をあらわす記憶　　←小項目
　　　b エピソード記憶…経験したことの記憶

　　②非陳述記憶…言葉にできない記憶　　　　　←中項目
　　　a 手続き記憶…体で覚えた記憶　　　　　　←小項目

　2 短期記憶　　　　　　　　　　　　　　　　　←大項目
　　①作業記憶…一時的な記憶　　　　　　　　　←中項目

ノートを見ながら先生になったつもりで講義する

　復習するときに有効な方法としては、そのノートを見ながら、先生のように講義する方法もあります。

　構造化したノートは先生が授業で言いたかったことのエッセンスがちりばめられています。それをもとに**自分が先生になったつもりで講義をしてみれば、格好のアウトプットになります。**

　できれば、その授業を受けていない人にノートを見ながら30分くらい講義をしてみましょう。内容を知らない人に話をするのですから、自分自身がまず理解できていなければなりません。

　話を聞いた人も内容を理解できれば、自分自身がしっかり理解できていたということ。聞いた人がチンプンカンプンなら、

自分自身が理解していなかったことになります。

　もし聞いてくれる人がいない、あるいは人前で話すのが恥ずかしいのなら、先生になったつもりで誰も見ていないところで１人きりで講義するのもいいでしょう。これも、立派なアウトプットです。

　ノートを取る。

　人に話す。

　アウトプットを重ねていくと、イヤでも記憶に定着するし理解力も深まります。ノートを構造化するのは、大きなアドバンテージになります。

この復習法のポイント

ノート構造化法

- 授業で先生の話を聞きながら、キーワードを重要度別に分けてノートに書きとめていく

- 重要、まぁ重要、面白いの3つのレベルでキーワードを取捨選択していく

- 書きとめるキーワードは授業の話の10分の1くらい

- ノートを見ながら先生になったつもりで講義して、アウトプットする

- あらゆる科目に適用可能

板書構造化法

　板書の構造化は、一朝一夕にできるものではありません。押さえるべきコツをつかんだら、実践で経験を積み重ねていくことでものにすることができます。

　最初は先生の板書をそのまま写しているだけだとしても、それでは頭も使っていません。せっせと書いている間に先生が話している言葉が空中に消えてしまって、二度とそれをつかまえることもできなくなります。

　このもったいない状態から脱するには、いったん板書を写すのをやめます。これでは「授業で習ったことを忘れてしまう！」と不安になる人が多いかもしれませんが、**まずは先生の話を聞くことに集中する**ようにします。

　先生が OK してくれるなら、板書したものをスマホのカメラで撮ることにして、授業中は話をしっかり聞いていきます。聞きながら、キーワードをつかみとって、重要度別に頭の中で構造化していきます。

　授業が終わったら、自分でノートに構造化していきます。スマホで撮った板書と比較しながらでもいいでしょう。このやり方のほうが集中して授業を聞いているので、ただ板書を写すよりもはるかに記憶として定着していることでしょう。

ノートを添削してもらう

　私の大学の教え子は、中学校の社会科の先生になって、生徒たちのノートに添削をしています。授業中に話をじっくり聞きながら、自分で考えてノートを取るように指導したとのこと。

　授業が終わったときに、生徒からノートを回収。「ここはよく書けている」「ここはもっと詳しく」と添削したのちに、生徒に返すようにします。そうしたところ、中学生でも大学生と同じように構造化したノートを取れるようになったそうです。

　話をじっくり聞きながら、頭の中でどういう構造にしようかと考えてまとめたものをノートに書いていく──。インプットとアウトプットを同時に行って、脳をフル回転させているのですから、ノートを取るのがうまくなるに決まっています。

　ほかにも動画や DVD を見ながら、構造化していく方法もあります。オンラインの授業では後で動画を再生できるものもあるので、それを見ながら内容を構造化していきます。見ながら（聞きながら）頭の中で構造を考えて、それをノートに記入していきます。これを続けていくと、対面の授業でも先生の話を聞きながら、構造化したノートを取れるようになります。

> **ポイント**
>
> 脳をフル回転させながら、ノートを取る

ノートの醍醐味は図化すること

　ノートの取り方の基本の2つ目は、図化すること。こちらは抽象化する能力を高めることができます。

　図にするのも、授業で先生の話を聞きながら、ノートに記入していくという点では、構造化と同じです。

　図化の基本は、全体像の把握です。その図を見るだけで全体を把握できるようになっているのが望ましいです。

　図が扱うのは、関係性やつながり、あるいは時系列の変化といったもの。比較対照をすることで、正反対のものをセットで覚えることもできます。

　教科書に何十ページも書かれている内容を素早く理解するにはキーワードが羅列されているものを見るよりも1つの図にまとめられたものを見るほうが早いし、全体像をつかめます。そこに図をつくり、なおかつ活用する意味があります。

　全体像をつかむためには、上から俯瞰して見たほうが早いです。上から俯瞰的に見たものが図になると言えるでしょう。そういう芸当ができるには、全体像を把握しながら、細部についても理解していなければなりません。

　全体を把握するというインプットをしたあとに、1つの図にまとめるというアウトプットをする。ビジュアル主体になっているのが、大きな違いです。

全体像の把握を優先する

　教科書の文章は、全体を把握しながらも細部についても書かれているもの。細かく書かれているので見た瞬間に内容を理解するのは難しいですが、1つ1つのつながりも覚えることができます。

　図化は、全体を把握しながら、それをひと目で分かるようにビジュアル化したもの。一瞬で理解することを主眼にしているので、細かいところは省かざるを得ません。「ああ、なるほどね」と一目瞭然で分かってしまうのが、図です。

　「木を見るのが、文章。森を見るのが図」ということになるでしょうか。文章と図。どちらか1つではなく、両方を活用していくことで、記憶と理解が進むようになります。

ポイント

上から俯瞰的に見ながら、ノートを図化する

AB整理法

　具体的にどのように図化するのか。その代表的なやり方を紹介します。２つのものごとを並べて、比較対照していきます。私が推奨するのは、ＡとＢという２つを並べる「AB整理法」です。

　図をつくるときに有効なのは、「矢印」です。これを使うと、つながりや変化がより理解できるようになります。

　使う矢印は、「→」「⇒」「⇔」「↓」「↑」「↗」「↘」など。この矢印があるだけで、ＡとＢの関係性がハッキリ見えるようになって、なおかつ全体像もつかめるようになりますから、魔法の力を持っていると言ってもいいでしょう。

　相反していたり対立していたりするものは、「⇔」で示します。変化があるものは、「→」「⇒」など、グループ化できるものは「＝」で結んでいきます。

　たとえば、資本主義と社会主義の２つを理解しようと思ったら、「⇔」を使います。インフレとデフレ、大統領制と議院内閣制など、対照的なもの、違いが大きいものは「⇔」を使っていくと、個別の違いを認識しながら、両方を全体的に把握できるようになります。

　個々の項目についてじっくり見ていって１つ１つ覚えようとするのは悪いことではありませんが、時間がかかりすぎます。

それよりは**対照的なものごとを並べて違いに着目していくと、2つの内容が同時に入ってくる**ようになります。そのとき違いを際立たせるのが、キーワードです。

図にすると関係性が一目瞭然

　大統領制と議院内閣制はともに三権分立を体現する政治システムです。権力のチェックアンドバランスを果たすという共通点はあっても、アプローチ法は異なります。ここでは独立性と意思決定というキーワードで両者を見ていきます。

　大統領制では、国民が直接行政の長を選ぶことができます。行政、立法、司法がそれぞれ独立した機関を形成するがゆえにお互いの権力に対してチェックアンドバランスが働きやすくなっていますが、いきすぎると無用な対立が激化しかねません。

　また行政、立法、司法が独自に意思決定をして、それは尊重されます。そのために意思決定のスピードが速く、政治が活性化する要因ともなります。

　一方の議院内閣制では、国民が直接行政の長を選ぶことはできません。行政、立法、司法がそれぞれ独立した機関を形成していますが、限界があります。システムの性格上、行政優位であるのは否めません。それゆえにお互いの権力に対してチェックアンドバランスが働きにくくなりがちです。

　もっとも、行政優位ではあっても立法府で合意を形成しないと法律ができないので、意思決定には時間がかかります。多様な意見を反映させやすいところもありますが、スピードに欠け

る嫌いがあります。

　文章にすると、それぞれの特徴について読んで理解するのに時間がかかりますが、**図にすると一目瞭然でパッと入ってきます**。全体を把握しやすくなります。

　もちろん、図ではすべてを伝えきれないので、モレやヌケがあるのは否定できません。とは言え、素早くかつ大まかに理解するには図にするのがいいのは事実です。

図化とは頭を整理すること

　図にするメリットは、インプットとアウトプットを同時に行えることです。図にするにしても対象となるものごとを理解していなければ、関係性やつながりを把握できません。

　まずはその対象を理解して記憶していきます。これが、インプット。同時にそれを図にするのは、キーワードで項目を絞りながら完成させていきます。これが、アウトプット。

　絞り込みは重要なものと、そうでないものを把握していないと、できないことです。図にすること自体が自分の頭を整理すること。その頭の整理をするためには理解をしていなければなりません。

　理解なくして図なし。図にするのは理解が大前提です。

　出来上がった図は、学んだことが整然とまとめられているので、それを見れば誰もがそのものごとについて理解できるようになっているはずです。自分のつくった図を見て、知らない人でも「ああ、そういうことなのか」と分かるようであれば、合

図3　図化の例

● 大統領制と議院内閣制

大統領制	⇔	議院内閣制
直接選挙	選び方	間接選挙
それぞれが独立	三権	行政と立法が一体化
速いほう	意思決定	時間がかかる
起きにくい	権力のねじれ	起きやすい
アメリカ、フランス	採用している国	イギリス、日本

格。それは、自分自身もそのものごとを記憶し、かつ理解している証拠です。

　その図をつくったら、復習をするときもラクです。復習するときはその図に書き込んだことを記憶しかつ理解しているかどうかチェックします。

　つくった図を持ち運びすれば、いつでもどこでもどんなときでも復習できます。コンパクトにまとめられているので、テスト前の時間のないときなど、重要なことだけに絞って覚えたいときには重宝するでしょう。

この復習法のポイント

AB整理法

- 授業で先生の話を聞きながら、異なる2つ（AとB）を並べて、頭を整理しながら図化していく

- 全体を把握できるように大胆にキーワードを絞り込む

- 自分自身が理解していなければ、図にすることはできない

- 知らない人に図を見せて理解できるようなら、まとまっている証拠

- あらゆる科目に適用可能

ノート活用法④

小テスト復習法

　構造化したり図化したりしたノートをどのように復習として活用すればいいのかと言うと、その最適な方法はしっかり頭の中に入っているかどうかチェックすること。言い方を変えれば、小テストです。

　構造化でも図化でも、ノートにはいくつかキーワードが書かれています。**1つのページの中に書かれたキーワードについて順に①②③④⑤……と番号をふっていきます。全部で15個あるとしたら、そのすべてをきちんと説明できるかどうかチェックします。** それが、構造化および図化したノートの復習法です。

　ノートを裏返して、たとえば5分間と決めて、その時間以内に15個のうち何個説明できるかをチェックします。もちろん、15個すべてを説明できるのが望ましいですが、最初からそううまくはいかないものです。

　説明するキーワードは15個。制限時間が来たら、15個のうちきちんと説明できたキーワードに「〇」をつけていきます。思い出せなかったり、間違えたりしたものは「△」をつけます。

　〇が10個、△が5個だとしたら、余白に「〇月〇日10／15」と書いておきます。これが小テスト1回目の成績。

　2回目にはこの間違えた5個だけ同じようにノートを裏返

したのちに制限時間以内に説明できるかどうかチェックします。回数を重ねて数が少なくなるにつれて制限時間を短くしていきます。2回目で5個なら2分くらいでいいかもしれません。

5個のうち〇が3個、△が2個なら、「〇月〇日3／5」と余白にメモしておきます。だんだん思い出せるキーワードが増えているということですから、記憶に定着していることが自分自身で実感できます。

この小テストを5回か6回繰り返していって、記憶するとともに理解を深めていきます。

過不足なくキーワードを説明する

このチェック法は数だけが分かっていますから、ピッタリその数のキーワードを言わなければなりません。多く言ったら余計なことまで話しているということで、まだ頭が整理されていないということ。反対に数が足りないと、記憶に定着していないということ。

過不足なくキーワードを答えられるのは、ムダなく、かつ効率的に記憶しているということです。復習を繰り返したから、頭が整理されていったということでもあります。

1人でチェックするだけでなく、勉強仲間と交互にやってゲームのようにチェックするのもいいでしょう。

この復習法のポイント

小テスト復習法

- 構造化したり図化したりしたノートに書き込んだキーワードを理解できているかどうかチェックする

- ノートに書いたキーワードに番号をふっていって、その数だけ説明できるようにする

- キーワードの数ピッタリの説明ができれば、記憶に定着している証拠

- 2回目以降は、うまく言えなかったキーワードだけを繰り返して説明するようにする

- あらゆる科目に適用可能

間違いノートをつくる

　ここまでノートの構造化と図化の活用法を中心にお話ししてきました。慣れれば誰でもできるようになるものですが、それなりのスキルもいるし時間もかかります。

「面倒くさい」「複雑そう」「わざわざやりたくない」……

　そんなふうに思っている人がいるとすれば、もっとカンタンにできる、ノートを使った復習法があります。それは、「間違いノート復習法」です。

　文字どおり、**間違えたところを逐一、ノートに記入していく**もの。テストで間違えたところや、授業で答えられなかったところなどをノートに書き写すだけですが、それはその時点での自分の弱点です。

　そのままにしておいては先に進むときに理解しにくくなったり、テストで答えられなかったりします。逆に、その弱点を記憶し理解していくと、テストで出題されたときに確実な得点になり得ます。

　具体的には、テストで「1945年2月に戦後の処理について連合国の間で話し合われた会議は何か？」という問題があったとします。これについて「マルタ会談」と答えてしまったら当然、不正解です。正解は、「ヤルタ会談」です。

　この問題を間違いノートにまず「ヤルタ会談」とキーワード

ふうに書いておきます。ここで終わらせるのではなく、このあとに「マルタ会談とヤルタ会談のそれぞれの内容」も書いておくと、なおいいでしょう。

弱点を得点源に変える

　2週間後とかにこのノートを見返して、「ヤルタ会談」と書かれたキーワードを見た瞬間に概要を述べます。

「1945年にクリミア半島のヤルタでチャーチルとルーズベルトとスターリンが戦後処理について話し合った会議」

　そう答えられればOK。この問題に〇をつけます。続けて、「間違えて覚えていたマルタ会談」についてもスラスラと答えられれば、より理解が深まった証拠。

　もしあとにつけ加えた「マルタ会談」について何も言えなければ、教科書や参考書で調べて、後日また間違いノートを見たときに答えるようにします。次に答えられたらこちらにも〇をつけ、口ごもるようなら再度挑戦していきます。

　間違いノートに書かれたキーワードに答えられれば記憶し理解したことになりますから、次からは飛ばしてかまいません。答えられなかったキーワードだけ繰り返し読むようにします。

　間違いノートに書いたキーワードは、自分の理解が足りないところで、弱点です。それを強化できれば、得点源に変えることになり実力がアップしていきます。

　ノートに記入する間違いは科目別にしたほうがいいのか。それとも1冊にまとめてしまうのか。

これは、どちらでもいいです。科目別にすると、持ち運びに不便ですし、どこかに置き忘れてしまうこともなきにしもあらず。

ルーズリーフなら持ち運びに便利

　英語、国語、数学、理科、社会のそれぞれの間違いを1冊のノートに書いていくとゴチャゴチャした印象を持つかもしれませんが、やってみると違和感はそれほどありません。

　ノートではなくルーズリーフにするなら科目別に分類しながら、1つにまとめられるので、ゴチャゴチャ感はなくなります。もちろん、科目別に専用のノートをつくったほうが記憶も理解もしやすいのは間違いありません。

　どういうかたちであれ、間違えたことを徹底して復習していくために使うノート――。それが、間違いノートです。

この復習法のポイント

間違いノート復習法

- テストで間違えたり授業で分かりにくかったりしたことをノートに記入して、それを徹底的に覚えていく

- 間違いは弱点ではあるが、記憶し理解すれば得点源に変わる

- 間違いだけでなく、関連する項目も記入するとよい

- ノートを科目別にするか、1冊にまとめるのかはどちらも可

- あらゆる科目に適用可能

教科書をノート化する

　授業中にノートを取るのが、面倒——。ここまで読んできて
まだそんな人がいるとしたら、とっておきの方法があります。
これなら面倒くさがり屋の人でもノートを取るようになるでし
ょう。

　それは、「教科書をノート化する」こと。教科書を自分だけ
の専用ノートにしてしまいます。

　用意するものは、教科書と３色ボールペン。この２つがあれ
ば、十分です。

　**授業中、先生の話を聞きながら、「最重要」と思ったところ
は赤で囲んでいきます。「まぁ重要」と思ったところは青で、
個人的に面白いと思ったところは緑で囲んでいきます。**

　教科書に書かれていないことで先生が重要な話をした場合は、
余白に重要度別に赤、青、緑で書き込んでいきます。おそらく
授業が終わったときには、かなりカラフルになっているのでは
ないでしょうか。

　もちろん、赤、青、緑で書き込んで終わりではありません。
書き込んだ教科書を復習に使用します。

　後日、見返したときに赤で囲んだり書き込んだりしたところ
について瞬時に口頭で説明できれば、記憶し理解した証拠です。
この場合、そのキーワードのところに「〇」をつけます。

反対に、全然違うことを言ったり「ウーン、何だっけな？」
と思い出せなかったりしたら、記憶も理解もしていなかったと
いうこと。そのキーワードのところに「△」をつけていきます。

　同様に青や緑で囲んだり書き込んだりしたところについても、
見た瞬間に説明を開始します。こちらもすぐに説明できれば「〇」
を、スラスラと言えないようなら「△」をつけます。

　いずれの場合も「〇」がついたところは記憶も理解もしてい
ますから、次に読むときは飛ばしてかまいません。次回以降に
見るのは「△」がついたところ。そこだけを見た瞬間に説明で
きるかどうかチェックしていきます。

　このやり方を5回か6回くらい繰り返していくと、教科書を
しっかり記憶かつ理解したと言えるでしょう。教科書に直に書
き込んでいっていますから、手を動かすのはノートに取るのと
同じ。同様の効果が得られるに違いありません。

書き込んだ教科書に愛着が湧く

　教科書に書き込みをすると汚れたかんじがして「抵抗がある」
と言う人が多いようですが、それは「食わず嫌い」です。キー
ワードを書き込んだり3色のボールペンで〇をつけたりしてい
ると、ただ文字を目で追って読んでいるのと比べて、はるか
に頭に入ってきます。記憶の定着の仕方が、全然違います。そ
の効果を実感すると、教科書に書き込みすることがモチベーショ
ンになっていきます。

　実は、**教科書をノート化するのは、自分だけの「マイ教科書**

に仕上げること。それは、世界にたった 1 つしかないもの。多くの人が同じ教科書を使っているのに、自分だけが違うものを使っているのですから愛着も湧いてきます。

ポイント

世界に 1 つしかないマイ教科書をつくる

ノート活用法⑦

図に書き込む

　もし図化が苦手という人がいて、まったく活用しないでいるとしたら、とてももったいないことをしています。図化によって得られる俯瞰的なものの見方・考え方は勉強するうえでは不可欠なものです。

　それを手にする別の方法があるので、お教えします。それは、図に直接、書き込んでしまうこと。

　教科書や参考書には、図がたくさん載っています。その図に関連すること、重要なことをドンドン書き込んでいきます。自分がゼロからつくっていくわけではないし、面倒くささも難しさもありません。これなら図化が苦手な人でも積極的に取り組めるようになるでしょう。

　やり方としては、目次勉強法と似たかんじになります。目次にキーワードを書き込んでいくのと同じ要領で、図に書かれていないことを書き足していきます。

　図の場合、文字数が少ないですから、書き込むことはたくさんあります。すでに覚えたことを思い出しながら、重要と思われることからドンドン書き込んでいくと、アッと言う間にページを埋め尽くしてしまうことでしょう。

　図を見ることで全体を把握し、書き込んだキーワードで詳細を把握する──。それは、森と木を同時に見るような感覚と言

えるかもしれません。

図だけを何回も見直す

　この方法なら、復習として教科書や参考書を見返すときも書き込んだ図だけに注目すればいいということになります。そこに大事なことがすべて網羅されているので、繰り返し見て、記憶しかつ理解するようにします。

　復習するときは書き込んだキーワードに番号を①②③……とふっていって、裏返したときにその数だけ説明するようにします。ノートによる復習と同じパターンです。

　これを5回とか6回繰り返してスラスラと暗唱できるようになっていれば、教科書や参考書をひととおりマスターしたことになります。かなり効率がいい復習法です。

　さらに、図のあるページを拡大コピーしてそれにキーワードを書き込んで持ち運びすれば、いつでもどこでもどんなときでも復習できるようになります。

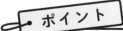

　図に重要なことを書き込んでいく

5章

本番直前・当日の復習法

試験直前にやらないほうがいいこと

　試験の時期が近づくと、「いよいよだ」と緊張感が高まってきます。「やってやるぞ」とモチベーションが高まることもあれば、「大丈夫だろうか？」という不安が頭をもたげてくるかもしれません。

　おそらくモチベーションと不安の両方が混然としています。それがシーソーのように上がったり下がったりして、当日を迎えるのではないでしょうか。

　でき得れば、不安を解消して高いモチベーションのまま試験を迎えたいですが、そのためには「やらないほうがいいこと」があります。それについてお話ししておきましょう。

　直前の時期にやってはいけないのは、ズバリ、新しいことです。たとえば、新しい問題集に取り組む。これまでやっていなかった参考書をやってみる……。

　半年とか1年、場合によってはそれ以上の長い期間、勉強をしてきたにもかかわらず、もうすぐ本番という時期に新しいことを始めるのは、リスクが大きすぎます。やめたほうがいいでしょう。

　試験直前ともなれば、もはや30点も50点も大きく点数が伸びることはありません。「絶対にない」とまでは言いませんが、それは覚悟しておいたほうがいいです。

合格ギリギリラインにいる人にとってはダメ押しとなるようなことをしたくなるのかもしれませんが、ここはグッとこらえたほうが賢明です。なぜ新しいことに手を出さないほうがいいのかと言うと、身につけるまでの時間がないから。

　何よりの弊害は、新しいことを覚えることでそれまで記憶していたことを忘れてしまうこと。池谷裕二さんも、**「ほかのことを追加して記憶すると、（覚えたことの）忘却を早める」**と述べています。

　本番まで残り2週間くらいの時期に新しいことを記憶し理解しようとするのは負荷がかかりすぎます。その新しいことが試験に出なかったらムダな努力で終わってしまいます。

　もちろん、出る可能性もあるので、難しい判断ではありますが、それを覚えて30点、50点を稼げることもないでしょう。やってみて覚えられなければ、「やっぱりダメだ……」とがっくりきて、試験直前期に深刻なダメージを負いかねません。

試験1カ月前までに対象科目を網羅しておく

　過去問などをこの時期に始めるのも、同様です。直前にこれまで出た試験問題をやって高得点を叩き出して、いいイメージのまま本番を迎えようと考えているのかもしれませんが、できなかった場合はショックが大きすぎます。

　「ヤバイ。これでは合格が厳しいかも」……

　せっかく頑張ってやってきたのに、自信喪失してしまう恐れもあります。その不安な状態のまま当日を迎えるのは、いいこ

とではありません。

　ましてや試験直前期になって、まだ手をつけていなかった単元をやるなんて論外です。あまりにも遅すぎるし、段取りが悪すぎます。

　年1回の国家資格試験なら、最低でも試験の1カ月前くらいまでには、試験科目の範囲をカバーしておきたいものです。これでもギリギリですが、まだ復習する機会が残っています。

　試験直前期に、不安と無縁の状態でいるのは、かなり難しいことです。それは誰でも同じ。ただし、不安を少なくすることは可能です。そのことは次にお話しします。

ポイント

試験直前期には、新しいことに手を出さない

試験直前の復習はこうする

　試験直前期にやったほうがいいこと——。それは、これまで身につけたことを強化することです。

　言い換えれば、復習。もうすぐ本番という限られた時間しか残されていないときに、新しいことをやろうとするのはリスクが大きすぎます。

　それよりはできることに目を向けて、その再現性を高めていきます。できることの確実性をもっともっと上げていきます。

　半年とか1年間、きっちり勉強してきたのですから、大量の知識が頭の中に入っています。これまで十分勉強してきたのですから、この段階で新しいことを始めても、おそらくうまくいかないでしょう。新しいことを覚えようとすることで、これまでやってきたことを忘れてしまう可能性すらあります。

　やってきたことを復習して、記憶したこと、理解したことが本番でもパッと出てくる確実性をさらに高めていきます。それで十分。

　合格するのに十分な実力を身につけているのであれば、なおさらできることの確実性を上げるようにします。ギリギリ合格ラインにいる人も同じです。覚えたことを本番でもしっかり思い出せるように復習して、確実性を上げていきます。

　直前時期の復習としては、なかなか覚えられなかったこと、

何回やっても自力で解けなかった問題を中心にして取り組みます。ノートに「△△△」がたくさんついているものが相当します。

　何回やってもできなかったところは、自分が苦手としているところです。それを克服できなかったら、本番でアウトになる可能性が出てきます。

　教科書や参考書の「△△△」がたくさんついているところを重点的に何度も見る。間違いノートで何度やってもできなかったところを何度も見る。

　こうしてできずにいたところを重点的に復習していくことで、できることを増やしていきます。ギリギリの合格ラインにいる人は、本番まで残り少ない時期になったら、覚えたことを徹底して繰り返してやっていきます。

　その復習によって、それまでできなかった問題ができるようになったとしたら、点数を３点とか５点アップさせることもあるでしょう。

　できないでいたところを確実にできることに変えていく。そうして**できることを増やしていく**。試験２週間前にやるべきことはこれです。

　本番前の時期には、復習あるのみ。**復習を徹底的にやった人に、勝利の女神が微笑む**ものです。

ポイント

> 試験直前期には、できなかったところを「できる」に変える

試験当日の復習法

　試験当日は、否応なしに緊張してきますから、リラックスすることが大事です。「緊張するな」と言っても、してしまうものは仕方ありません。深呼吸や瞑想などをして、なるべく早く心を落ち着けてリラックスしたいものです。

　自分の席に着いて何もせずにボーッとしているのもいいですが、30分くらいの時間があるようなら、ここでもやってほしいことがあります。それは、もちろん、復習。

　と言っても、30分かそこらでできることは限られています。それでも何もしないよりはマシ。ここで**取り出すのは、自分自身が間違えそうなところをまとめたもの**。それを見返すのがいいでしょう。

　前述した間違いノートを取り出して、自分の弱点のところを重点的に見る。見ながら、それを声には出さず頭の中で暗唱して内容を説明します。あるいはチェックリスト化した手帳を取り出して、それを頭の中で復唱しながら1つ1つ見ていく。単語カードのうち覚えにくかったところだけを抜き出して、それを頭の中で繰り返す……。

　どんなカタチでもいいですが、やるのは復習。**本番前の最後の復習**になります。

　わずかな時間で分厚い教科書や参考書を見たりしても、すべ

てをカバーすることはできません。要点だけをピックアップしたところなら、30分くらいあればすべてカバーできてしまうものです。

コンパクトにまとめたものだけを見る

　間違いノートにしろ、手帳にしろ、自分が苦手としているところがコンパクトにまとめられています。それを見るだけでも、試験科目のかなりの部分をカバーできます。

　時間が限られているからこそ、コンパクトで簡潔にまとめられたもののほうが頭にスーッと入ってきます。それは、できるところの確実性をさらに高めることにもつながります。

　30分くらいの短い時間でも、極端なことを言うと5分前でも復習をしておくと、「これだけやってきたんだから、大丈夫」と自信が持てるようになります。 そのまま試験に突入すれば、不安も緊張もなく、1つ1つの問題に向き合ってじっくり解いていけるようになるでしょう。

ポイント

試験当日は限られた時間でコンパクトに復習する

試験中の復習力

　試験中にする復習というのは、最後の見直し。問題を最初から最後まで解き終わって、残り時間が5分とか10分くらいあるようなら、見直しをします。この見直しが試験の合否にかかわります。

　解答を書く場所を間違えている。問題の意味を取り違えて、正解とは違う答えを記入してしまった。誤字脱字がある………。

　こうしたミスはいずれも不正解なので、得点にはなりません。わずか1点の違いで不合格になることは十分に考えられるので、ミスは極力減らさなければなりません。

　緊張していると、ふだんでは考えられないようなボーンヘッドをしがちです。あとになって冷静になれば、「なんでこんなことをしてしまうのだろう？」と悔しさを隠し切れなくなりますが、そういうつまらないミスをしてしまうのが本番の試験なのです。

　そのミスを発見するのが、最後の見直しです。残り時間が少しでもあるのなら、見直しをすべきです。

　気をつけることは、「『間違いがある』と思って見直す」こと。最初から間違いがあることを前提にするのとしないのとでは、見つける確率はかなり違ってきます。

　「たぶん間違いはない」と思って見直すと、ミスがあったとし

ても素通りしたり気づかなかったりして、発見することはできません。反対に、「きっと間違いがある」と思って見直すと、ミスが見つかるものです。これは、本当に不思議なことです。

自分の間違いには意外と気づけない

　私自身、何冊も本を出版していますが、印刷前のゲラを見るときも「きっと間違いがある」と思ってチェックすると、「ああ、これは誤字だ」「これは一字抜けている」と、ミスを頻繁に見つけられます。出版直前のゲラには「ミスはあってはならない」のですが、人間がやることに完璧はありませんから、どうしても1つや2つは出てしまいます。

　1冊の本の中でミスが1つか2つあったとしても、プロでさえ見つけるのはなかなか難しいものです。それでも「間違いがある」ことを前提にしていると、そのめったにない1つか2つのミスを見つけることができます。「たぶん間違いはない」と思って読んでいると、おそらく気づかなかったに違いありません。

　これと同じで、解答用紙の見直しも「間違いがある」ことを前提にしていると、自分がしたささいなミスを発見しやすくなります。「間違いがある」ことを前提にするのは気分がいいものではないですが、合格したいのであれば、そんなことは言っていられません。

　それによってミスがなくなるのであれば、甘受すべきです。実際に見つけたとしたら、失点を防ぐだけでなく、逆に得点を

重ねることができたのですから、それだけで合格に近づくことになります。

　試験の見直しでできることは限られていますが、それでも最善を尽くしておきたいものです。その最後の最後で活かされるのが、復習力です。

「きっと間違いがある」と思って、答案を見直す

復習するから魔物に勝てる

　オリンピックには、よく「魔物がいる」と言われます。世界のトップアスリートが出場する大舞台だけに、緊張感は想像を絶するものがあるのでしょう。

　ある意味では、「生きるか死ぬか」という極限状況に置かれるわけですから、どんなに実力と実績がある人でも自分自身をコントロールするのはなかなか難しいものです。

　緊張のあまり、持っている力を出せなかった。緊張してしまい、ふだんでは考えられないようなミスをしてしまった……。

　そういう不思議なことが起こるのが、大舞台です。そのために「魔物がいる」などと表現されるのですが、まさに言い得て妙です。

　実力も実績もある人でも緊張してしまうそんな大舞台でパフォーマンスを発揮し、思い描いている結果を出すには何が必要なのかと言うと、「これだけやってきた」という積み重ねでしょう。

　本番までに何年間もトレーニングをしたり練習したりしてきたのは、参加者誰もが同じです。実力もほとんど紙一重。その中でメダルを獲得できる人とそうでない人の差を分けるのは、積み重ねてきたことに対する確信ではないでしょうか。

　毎日毎日同じことの繰り返し。トレーニングも練習もきつい

ものばかりで、ラクなものではありません。一般の人には到底できないハードなことをしているにもかかわらず、アスリートは逃げることなくひたすらやり続けています。

　その**積み重ねがどれだけスゴイかは、自分自身が一番分かっています**。同じように日々積み重ねてきたライバルたちと相対しても、気後れすることなく立ち向かっていけるのは、自分の中に積み重ねてきたことを信じる気持ちがあるから。

「積み重ねでは誰にも負けない」

　そう思えるくらいトレーニングや練習をしているから、大舞台でも自分自身をコントロールできて、パフォーマンスを発揮できるのでしょう。その積み重ねは、まさに「復習力」と呼んでも差し支えありません。

一発勝負の恐ろしさに負けない

　オリンピックのような大舞台に立つ人はそれほど多くないので、読者にも身近な例を出しましょう。受験の話です。

　受験にも魔物がいるのかどうか分かりませんが、緊張する場であるのは確かです。緊張のあまりパフォーマンスを発揮できない人もいるでしょう。

　当たり前ですが、そんな中でも**自分のパフォーマンスを発揮できた人が合格します**。いくら成績がよくて模試でＡ判定だったとしても、本番で持っている力を出せなければ、結果を出すことはできません。これが一発勝負の恐ろしさですが、その点では、スポーツと同じです。

試験に合格できた人は、緊張はしながらも持っている力をふだんどおりに発揮できた人です。なぜパフォーマンスを発揮できたのかと言うと、オリンピックに出場するアスリートと同じように積み重ねがあったから。蓄積したものが最後に活かされたということです。

　本番では、誰もが緊張します。それは、スポーツの大会や音楽や演劇のライブだけでなく、受験でも同じです。

　そのときに心の支えとなるのは、この日のためにどれだけ頑張ってきたかという積み重ねであり、復習力です。復習力は、あなたを裏切りません。

　合否ギリギリという最後の最後のところでは、勝負は復習力のある／なしで決まる──。そう言っても、過言ではありません。

ポイント

これまでやってきた積み重ねを自信にする

黒柳徹子の記憶力

　私は国民的番組である「徹子の部屋」に2回ほど出演したことがあります。そのときビックリさせられたのが、黒柳徹子さんの記憶力です。

　テーブルにはゲストである私に関する資料が置かれていますが、それは黒柳さんの手書きです。おそらくスタッフの人がつくった資料を読み込んで、さらに自分で調べたことを書き込んだか、理解しやすいように書き直したほうがいいという判断があって、手書きにしているのでしょう。

　本番中にその資料を読み上げることも視線を落とすこともありません。資料のすべてが、黒柳さんの頭にしっかり入っています。しかもゲストである私のことをまるで何十年来の友人であるかのように接して、私の話をピンポイントで引き出してくれます。

　手書きのメモには文字がビッシリ詰め込まれていましたが、本番中に完全に頭に入っているのですから、その記憶力たるやすさまじいものがあります。私だけでなく、すべてのゲストの人に同じように対応しているので、「どれだけの情報を記憶しているのだろう？」と感動したものです。

　手書きの資料をつくるのは、予習力。それを頭の中にすべて叩き込むのは復習力。黒柳さんは予習と復習の両方を行ったう

えで「徹子の部屋」に臨んでいます。

記憶力の衰えを復習でカバーする

　黒柳さんの記憶力がいいのは復習力の賜物だと、あるとき理解できました。私は黒柳さんが出演する舞台に招待されて観に行ったことがあります。観劇後、楽屋に挨拶に行きました。

　そのときも主役である黒柳さんのセリフの量が膨大にもかかわらず、かんだり間違えたりすることはありません。ご本人曰く、「1000行を超えるセリフでも一度も間違えたことがない」とのこと。

　舞台の上演時間が2時間だとして、一度も間違えない。公演が1カ月くらい続くとすると、1カ月一度も間違えることなくセリフを言う。これは並大抵の努力でできることではありません。実際に黒柳さんも「徹底して練習する。完璧になるまで練習する」と言っています。

　舞台のセリフを完璧に覚えられる。ここまでやるから、黒柳さんが何十年もの長い間、テレビや舞台の第一線で活躍できるのでしょう。

　よく「年を取ると、記憶力が衰える」と言われますが、それは都合のいい言い訳ではないでしょうか。**加齢とともに記憶力が衰えるのは事実ですが、それでも訓練によってカバーすることはできます。**

　ちなみに、円周率を10万ケタ以上暗唱した人が何歳で成し遂げたかと言うと、還暦過ぎ。決して若いとは言えない年齢です。

もし若い人のほうが記憶力に優れているというのなら、10代や20代の人が円周率10万ケタの暗唱をラクラクこなせるはずです。

記憶力は年齢よりもやる気。黒柳さんを見ても、そのことはハッキリ言えます。

徹底的にやれば、何歳になっても舞台のセリフを完璧に記憶することができます。この繰り返しが、復習力の強みです。勉強でも徹底してやれば、何科目あろうと頭の中に入れることができます。

本番では身につけたことをそのままやればいい

一見すると試験には関係なさそうな黒柳さんの話をしたのは、理由があります。それは、**復習力が集中力を生む**ということを指摘したいからです。

「徹子の部屋」でも舞台でも、黒柳さんは出演者の資料やセリフがしっかり頭に入っています。それを可能にしたのが、繰り返しの徹底であり、復習力です。

しっかり頭に入っているから、本番では不安になることなく、「徹子の部屋」ではゲストの話を引き出すこと、舞台では観客を魅了する演技をすることに集中できます。そう、復習力は集中力をも生みます。

復習を徹底的にやれば、本番になればやってきたことをやるだけです。本番ではやってきたことをそのまま出せばいいだけですから、目の前のことにスーッと集中できます。やってきた

ことは、裏切りません。

　復習力があれば、本番でも集中できるし、結果を出せるようになります。黒柳さんのように……。

　舞台でセリフを間違えずに言うのと、試験に合格するのとでは、どちらが難しいでしょうか。おそらく多くの人にとっては後者のほうがはるかにカンタンでラクです。

　復習力は、集中力でもあります。本番で集中できるようになるためにも、復習力をおろそかにしてはなりません。

　復習力があるから、本番で集中できる

6章

ビジネスやプライベートで活かす復習力

復習力はいつでもどこでも
どんなときでも活かせる

ここまで勉強における「復習力」についてお話ししてきました。大学受験や資格取得の試験などで結果を出すための効果的な勉強法としての復習のやり方には、さまざまなバリエーションがあります。

すべてに共通するのは、繰り返しやっていくこと。**繰り返しやるから学んだことが身につき、自分のものになっていきます。**

もっとも、やるからには効率よく、かつ効果があるようにしたいものです。本書で列挙した復習法はいずれも結果につながるものなので、自分に合ったものを採用すれば、遅かれ早かれ結果が出るようになるでしょう。繰り返しやっていけば……。

この復習力を勉強だけにとどめるのは、なんとももったいないことです。勉強以外の場面でも使えるし、むしろ積極的に取り組んでほしいのです。勉強と同じくらいに効果が出るのは間違いありません。

ビジネスやプライベートで復習力を活かす場面は、たくさんあります。こう言うと、「勉強以外でも復習しなければならないなんてイヤだなぁ」と不満に思う人もいそうですが、復習をするのではありません。**勉強で身につけた「復習力」をさまざまな場面で活かす**のです。想像している以上に、そういう場面はあります。

復習力で人生が充実する

　ちなみに、ビジネスやプライベートで復習力の効果を上げるには、条件があります。それは次の2つです。

・プロセス化する

「こうやる」というプロセスをつくっておくと、いつでもどこでもどんなときでも自然にできるようになります。必要なら、段取りを手帳やノートに書いておくと、忘れることがありません。

・人と共有する

　効果があったものは自分だけでなく、ドンドン人に教えていきます。職場や家庭でも共有していけば、多くの人が復習力を活かしてパフォーマンスが向上することでしょう。逆に、ほかの人がつくったノウハウを取り入れて、自分自身のパフォーマンスが向上することもあるでしょう。

　復習力を活かすことで、ビジネスやプライベートも充実していきます。次からは、具体的な活用法をお話ししていきます。

● ポイント

復習力をプロセス化し、人と共有する

復習力で生産性を高める

　勉強でチェックリストを使って、その効果を実感した人は、日常的にチェックリストをドンドン使うようになるでしょう。このチェックリストは、いつでもどこでもどんなときでも活用できます。

　仕事でやるべきことや買い物でチェックリストをつくる人はたくさんいるでしょうが、これを日常生活の至るところに取り入れれば、ヌケやモレ、ダブリがなくなって、効率よく、かつ効果的にものごとを進捗させられます。

　特に活用したいのは、仕事のやり方。その日にやるべきことをすべて列挙していけば、何をやったらいいかが「見える化」できて、やり忘れがなくなります。**優先順位をつけて、重要なものから取り組んでいくと、１つ終えるごとに「さて、次は何をやろうか？」と考える手間も省けるので、１つ１つに集中して取り組めます。**

　あとは淡々と、かつスムーズに仕事を進めていくだけ。段取りもよくなるし、仕事も速くなる。個人の仕事の生産性をグーンと高めることができるでしょう。

　アトゥール・ガワンデ著『アナタはなぜチェックリストを使わないのか？』（晋遊舎）によると、ある病院でチェックリストを導入したところ、「合併症率が三分の二に低下した」そう

図4　チェックリストの例

●会議資料作成配布
　□　出席者・人数確認
　□　配布枚数確認
　□　ページ数確認
　□　誤字脱字チェック
　□　向き・サイズ確認
　□　印刷
　□　綴じ忘れチェック
　□　汚れ・ズレチェック
　□　予備作成……

です。

　チェックリストを使用すると、病院などでもミスが減るということです。

作業のダブリがなくなる

　組織全体でこのチェックリストを共有すると、引き継ぎがうまくできるようになります。午前と午後で担当者が変わるときなどは、その日にやるべきことをすべて列挙して、担当者がやるべきことをやったら、チェックボックスにレ点を入れるようにします。

　やるべきことが20個あるとして、午前の担当者が10個やったら、午後の担当者は残り10個をやればいいことになります。

すでにやったことは繰り返しやることはないので、残りの10個だけ集中して取り組めば、その日やるべきことはすべて網羅したことになります。

　もしやるべきことをリストアップしてチェックリスト化していなければ、その日にやるべき20個のうち、午前と午後の担当者で重複してしまうこともあるでしょう。結果としてそれぞれが10個ずつやったとしても、ダブリが３つあったとすれば、17個しかやっていないことになります。ヌケやモレが３個あったということです。

　この**ダブリやヌケ、モレを防ぐのが、チェックリストの活用**です。午前の担当者からすれば、やり残した分を午後の担当者にやってもらえばよくなるし、反対に、午後の担当者はその残った分だけをやればいいことになるので、自分のやることが明確になります。

１人１人の役割が明確になる

　組織内でこのチェックリストを活用すると、「自分はこれをやればいい」とハッキリ分かるので、ダブリやヌケ、モレがなくなります。さらに「ここからここはＡさん。ここからここはＢさん」というふうに、担当者を割り振ると、「そのうちに誰かがやるだろう？」という他者依存が減ります。やるべきことだけをやるようになって、効率がよくなり、それが就業時間以内で終われば、生産性が大きくアップします。

　必ずやらなければならないことをチェックリストとしてまと

めておけば、忘れることもやり残すこともなくなります。やるべきことを1つ終えてチェックボックスに「レ」点を入れることでモチベーションが高まるし、そのテンションのまま「次は、これだ」とやるべきことにすぐに移れるようになります。

チェックリストは、勉強に劣らず、仕事とも相性がいいものです。使わないでいると、「ソンしてしまう」と言っても、いいでしょう。

ポイント

チェックリストを活用して、モチベーションを高めていく

復習力で人の名前を覚える

　東京オリンピックのテレビ中継を見ていたときのことです。某局で生放送の特集番組が放送され、ロンドンオリンピックで卓球女子団体銀メダルを獲得した平野早矢香さんが解説者として登場していました。

　番組の終了間際、アナウンサーが「今日の解説は卓球の」のあとに「早田さん」と間違って紹介してしまったのです。卓球女子には「早田ひな」選手がいるので、混同してしまったのでしょうか。本人もすぐに間違いに気づいて、こう言い直します。「すみません。間違えました。早野さんに解説をお願いしました。ありがとうございました」

　生放送だったのでカットすることもできずそのまま流れてしまいましたが、アナウンサーが出演者の名前を間違えるのはめったにないことなので、見ているこちらのほうがビックリしてしまいました。

　しかも二度。最後にきちんと訂正することもなしに……。

　生放送の終了間際、残り時間が少なく、慌てていたこともあったのでしょうが、この人はプロです。出演者の名前を間違えたのですから、なんの言い訳もできません。これは、解説者の名前をきちんと覚えていなかったからこそ起こるミスです。

　目の前の相手の名前を間違って言ってしまう。あるいはメー

ルで相手の名前を間違えて書いてしまう……。

　こういうミスは誰にも起こり得ることなので、アナウンサーを笑ってはいられません。ビジネスパーソンが商談で相手の名前を間違えたり、就活で学生が企業の採用担当者の名前を間違えたりしたら、いい結果にはならないものです。

最初に名前を確認する

　緊張しているケースを別にすれば、**人の名前を間違えてしまう原因のほとんどは確認不足**です。目の前の相手が「平野さん」なのか「早田さん」なのか「早野さん」なのかをきちんと確認していないから、間違えてしまうと言ってもいいでしょう。

　日本人には、紛らわしい名前がたくさんあります。たとえば、「萩原さん」と「荻原さん」。萩原さんに向かって、「おぎわらさん」と呼びかけてしまうなんてことは、大いにあり得ることです。

　読み方が複数ある名前もあります。「河野」の場合は、「こうの」と読む場合と「かわの」と読む場合があります。「豊田」という名前も、「とよだ」と読むこともあれば、「とよた」の場合もあります。きちんと確認しておかないと、「こうのさん」に向かって、「かわのさんはどうしますか？」なんて話しかけたり、「とよださん」に向かって、「とよたさんはどう考えますか」と聞いたりしかねません。

　こういう相手に失礼な、なおかつ恥ずかしい間違いを避けるためには、復習力を活かすことです。

河野さんと名刺交換したときに、すぐに「こうの（かわの）さんでよろしいですね？」と確認します。

　これで終わってしまったら、きちんと記憶に定着したかどうかは怪しいものです。2回目に呼ぶときに間違えてしまう可能性が残るので、間髪を容れず、名前を入れて話しかけます。

「河野（こうの）さんは、どちらのご出身ですか？」

「河野（こうの）さんはこの業界はかなり長いのですか？」

「河野（こうの）さんは何をお飲みになりますか？」

　相手にしても、ただ「どちらのご出身ですか？」と聞かれるより「河野さん」と呼びかけてくれたほうがうれしいものです。親近感を持ってくれることでしょう。それだけで商談がスムーズに進みます。

名前で呼ぶと親近感を持ってもらえる

　初対面でも3回くらい名前を連呼すれば、記憶に定着します。 会って30分くらい経ってから、「こうのさんだっけ、かわのさんだっけ？」と思い出せなくなることもなくなるでしょう。もっとも、30分も経ってから名前を間違えたら、さすがに恥ずかしいですが……。

　先ほどのアナウンサーも番組の始まりのほうで、「平野さん、今日の試合の見どころは？」とか「平野さん、日本チームの状態はいかがですか？」「平野さん、対戦相手の選手の気をつけなければいけないところはどういうところですか？」と、ちゃんと名前を入れて話を聞いていれば、しっかり頭に刻み込まれ

たはずです。放送終了間際に、名前で話しかけるから間違えて呼ぶ失態を犯してしまうのです。

　もっとひどいのは、IOC会長のトーマス・バッハさん。オリンピック開幕前の記者会見で、日本人と言うべきところをあろうことか、「Chinese people」と間違ってしまいました。バッハさんの頭の中はすでに翌年の北京オリンピックのことでいっぱいで、開催までこぎつけた東京オリンピックのことなど、もうどうでもよくなったのでしょうか。こんな失言は絶対にしたくないものです。

　繰り返し言うことで、相手の名前を覚えるようにします。「○○さん」と名前を入れて呼びかけるだけで、相手のあなたに対する印象がよくなるので、しないでいるのはもったいないことです。復習力を活かせる格好の場面と言ってもいいでしょう。

ポイント

会ってすぐに名前を入れて相手に呼びかける

復習力で忘れ物をなくす

　家を出てから数分して、ふと「カギをかけたかな？」「電気をつけっぱなしにしていないかな？」「ガスはちゃんと止めたかな？」と不安になったことは、誰にでもあるのではないでしょうか。何かをし忘れたかもしれないという心理になるのは、決まって急いでいたり慌てたりしているときや、ほかに考えごとをしたりしているときに起こります。

　さらに突き詰めていくと、ちゃんと確認していなかったことが原因として浮上してきます。**家を出るときに、電気やガスの消し忘れがないか、カギをかけたかをきちんと確認していれば、途中で不安になることもないし、外出中もずっと安心していられます。**

　私の大学時代の友人には、忘れ物をしないように、指差し確認をしている人物がいます。彼曰く、「『ガス、よし！』『電気、よし！』と指差し確認をするといいよ。これをしてから、もう忘れ物をしなくなった」とのこと。その話を聞いて以来、よく忘れ物をする私も、指差し確認を実行するようにしています。

　私の場合、食事をするときにメガネと時計を外します。食事中には、携帯電話もテーブルの上に置くようにしています。

　そうすると、外で食事をすると、この３つのうちのどれかを忘れる確率がかなりあります。そのうちの１つをどこかに置き

忘れて取りに行くということをよくしていました。

　その反省から、食事を終えたときは必ず「ケータイ、時計、メガネ」「ケータイ、時計、メガネ」と指差し確認をすることにしています。このチェックをするようになって、携帯電話、時計、メガネの忘れ物をしにくくなりました。

指差し確認でダブルチェックをする

　タクシーに乗ったときも忘れ物をしたことがあります。あまりにも忘れ物が多いので、自分でもイヤになるほどでした。この状態を解決しようとしてアメリカの知人に相談したら、「降りるときに、『Look after する』といいよ」と言われたのです。Look after とは、後ろを振り返ること。

　日本語で「座席を見なさい」と言うと、覚えにくいし、硬いかんじがします。「Look after」なら覚えやすいし、言いやすいので、降りるときに口にするのにピッタリです。その言葉を教えてもらって以来、タクシーを降りるときは、「Look after」と言いながら、指差し確認をするようにしています。おかげで、忘れ物も減りました。

　鉄道のホームでは、駅員さんが電車の発車・停車時に指差し確認をします。指差し確認は、手を動かすだけでなく、必ず声に出しています。

　これは、声と手で電車の動きを確認していることにほかなりません。どちらか一方だけでは、確認が徹底されなかったり中途半端になったりする恐れがあります。

声で確認。手でも確認。この両方の確認は、ダブルチェックのようなもの。1人で確認するから声と手の両方を駆使する。それによって異常がないか、確認を徹底しているのかもしれません。

　私の場合も、声に出しながら、手で指差して確認をしています。それをして以来、外で食事をしても、タクシーに乗っても、忘れ物をすることがなくなりました。

　いちいちここまでするのは「面倒くさい」と思う人もいるでしょうが、逆に言うと、ここまでやらないと忘れ物を防げないということ。確認すると言っても、5秒で済みます。

　そのわずか数秒を惜しんで忘れ物をしてしまったとしたら、あとが大変です。次に乗車した人が見つけて持ち出してしまえば、二度と自分のところに返ってはこないでしょう。タクシー会社の人が見つけてくれたとしても、取りに行かなければならないし、手間も時間もかかります。

　両方を比べて、どちらのほうが面倒なのかは、言うまでもありません。わずか数秒で忘れ物を防ぐことができます。しかも忘れ物をして、どこかを探し回ったり、運よく見つかって取りに行ったりするという時間と手間を回避することにもなります。

安心と安全の両方を手に入れる

　どこかに忘れ物をしてしまった人には身に覚えがあるでしょうが、「どこに忘れてしまったのだろう？」「知らない人に悪用されたらどうしよう？」と、なんとも言えない不安感がついて

回ります。それは、見つかるまでずっと続きます。

　出てこない間はずっと不安な心理状態に置かれるので、仕事や勉強をしているときでもまったく集中できないという状態になりかねません。いいことなど1つもないのが、忘れ物をしたときです。

　そう考えたら、この指差し確認がどれだけの目に見えないプラスの効果をもたらしていることでしょうか。私のようにそそっかしい人はぜひとも取り入れてもらいたいのです。それによって安心と安全というかけがえのないものを手にすることができます。

　この**指差し確認をいつでもどこでもどんなときでも繰り返す**。これは、まさに復習力の成せる業です。

ポイント

忘れ物を防ぐには、キーワードを唱えながら、指差し確認をする

復習力で人間関係を把握する

　小説を読んでいるとき、出てくる登場人物の関係が複雑すぎて、途中で混乱してしまうことがあります。最後のどんでん返しを効果的にするため、余計に人間関係を複雑にしているところもあります。

　どの人が味方でどの人が対立しているのかがなかなか分からなくて、面白い小説ほど一筋縄ではいきません。外国の小説だと人名が覚えにくかったりするので、読んでいるうちに人物を取り違えてしまうこともあるでしょう。確認するために「これはどっちだっけ？」と前に戻ることもあるので、面倒くさくなって、ページが分厚いものは特に「もういい」と挫折することもあるかもしれません。

　小説の面白さを堪能できるのは、読み終えた人だけの特権です。たとえば、ドストエフスキーの『カラマーゾフの兄弟』を人間関係が入り組んでいるという理由で途中で読むのをやめてしまうなんて、あまりにももったいないことです。

　小説を読むときにも図をつくって、それを横に置いておくと、誤解も混乱も少なくなります。登場人物の相関関係も把握できるので、ただ読んでいるだけでは把握できなかった面白さを堪能することもできます。

　その図がどういうものかと言うと、登場人物の人間関係図で

図5 人物相関図の例

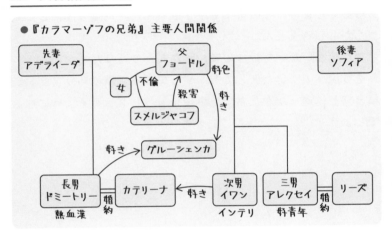

す。誰と誰が味方や同じチームで、誰が対立していて、新たに登場してくるのは、どういう人物なのか。それを1枚の図にすると、作者の意図や物語の背景もクリアになって、俄然、読むのが楽しみになってきます。

複雑な人間関係を図で把握する

この人間関係図は読みながらつくってもいいし、読み終えてからつくるのでもいいです。途中からつくると、それまで読んだ内容を復習するかたちになり、その後の展開を興味深く追えるようになるでしょう。読み終わってからつくるとすると、まさに復習。内容を把握しているので、登場人物それぞれの関係性を認識することで、「なるほど、そういうことだったのか！」

と物語の細かいところまで理解し、改めて面白さに気づくこともあるでしょう。そのままもう1回読んだら、違う面白さに気づくかもしれません。

「ただ味わいたいだけなので、図なんかつくりたくない」

そう思う人がいたとしても、やってみる価値はあります。これまでとは違ったかたちで、小説をもっと楽しめるようになるでしょう。

ポイント

登場人物の人間関係図をつくりながら小説を読むと、面白さに気づく

復習力でアイデアを生み出す

　これまでの人生で勉強以外の場面で図をつくったことはどれだけあるでしょうか。企画書やプレゼンの資料をつくるときなどで図を使うことがあるので、ビジネスでは割合そういう場面に遭遇することはあるかもしれません。それでも毎日のように使っている人はさすがに多くはないでしょう。

　復習の効果を上げる図化は、ビジネスでも大いに活用できます。図を使って身の回りに起こる問題を解決することも不可能ではありません。

　私は大学の授業で学生に2人一組になって、アイデアを出すための図を描いてもらうことをよくやります。これは、あるテーマについていいアイデアを出せるように、お互いに会話しながら図をつくっていくというもの。私の授業ではよく図を使っていろいろなことをやりますが、話しながら図に何かを書いていくというのは、慣れている人でもなかなか難しいようです。

　話しているときは手が止まってしまう。手が動いているときは口が止まってしまう。手と口が同時に動くことは難しい。どちらか片方しか動いていないときは、「手が止まっているよ」「口が動いていないよ」と注意を促すほどです。

　手と口の両方を動かすことでアウトプットを高めていきます。脳を高速回転させて、自分の中にあるものをドンドン吐き出し

て、アウトプットしてもらいます。

　どちらか1つしか動いていないのは、このアウトプットが不十分。両方動かすことで「アウトプット→インプット→アウトプット→インプット→アウトプット……」というサイクルを高速回転させていって、アイデアをたくさん出せるようになります。

自分の中からアイデアを引き出す

　なぜ話しながら図を描くのかと言うと、出てきたアイデアについてお互いに「これはどうかな？」「こういうのはどう？」とさらにかぶせていって、ドンドン質を高めていこうとするから。手も口も止まっていたら、自分も相手も頭の中からさらにいいアイデアが引っ張り出されてきません。

　自分が言ったこと、書いたキーワードをきっかけにして、相手がアイデアを頭の中から引っ張り出す。相手が言ったこと、書いたキーワードをきっかけにして、自分の中からアイデアが出てくる。お互いに目の前にいる人の中からアイデアを引き出そうとして、とにかく手も口も止めずに図に向き合っているのがいいのです。

　このやり方をビジネスパーソンに勧めたら大変好評で、組織内のコミュニケーションが活性化したり、企画力がアップしたりしたといううれしい報告をもらっています。

　私自身は「**クリエイティビティーは記憶力と連動している**」と思っています。**頭の中に記憶されたいろいろなことが、新し**

い知識や情報とつながって、瞬時にアイデアとして自分の中から出てくるのではないでしょうか。

　図にキーワードを書く。関連することを追加でドンドン書いていって、矢印でつなげていく。

　そうしたキーワードがフックとなって、無数に記憶された中から芋づる式に引き出されていくのがアイデアです。アウトプットするから記憶の中にインプットしていたものが、世の中の役に立つようなアイデアとして引き出されてくるのです。このように復習で鍛えた図化は、ビジネスでも応用できます。

　アイデアを考えたり問題解決したりするのに、図は最適。何か困ったことがあったら、まず図を描いてみましょう。それだけでアウトプットが起こって、何かが変わってきます。

ポイント

話しながら図を描いて、アイデアを出していく

復習力を高める57のポイント

- [ ] 勉強はスポーツよりはるかにラクに身につけられる
- [ ] 100回でも200回でも繰り返しやるから上達する
- [ ] 「九九」のように暗唱して覚えれば、いつまでも忘れない
- [ ] 復習という勉強の王道を行こう！
- [ ] 復習で勉強のコストパフォーマンスを上げていく
- [ ] モチベーションが高いうちに始めて習慣化させる
- [ ] 単語や熟語は短期間で大量に覚えるようにする
- [ ] 「理解していない」ところを強化していく
- [ ] やさしいところから始めて、徐々に難易度を上げていく
- [ ] 予習と復習はどちらも大切。どちらも欠かさずにやる
- [ ] 前日と手にしたとき。予習には、2つのタイミングがある
- [ ] 復習はあなたを裏切らない
- [ ] 成績が上がる人は、モチベーションが高い
- [ ] 勉強は淡々とコツコツやっていく
- [ ] やるべきことはすべてスケジュール化する
- [ ] チェックでトラブルを事前に回避する
- [ ] 覚えたことをアウトプットしていく
- [ ] 出された問題で何が問われているかを把握する
- [ ] 負荷をかけながら勉強する
- [ ] 問題集は浮気してはいけない

☐ 苦手科目には伸びしろがある

☐ アウトプットとインプットを同時に行う

☐ ストレスなくできるところを増やして繰り返しやっていく
　　と、結果を出せるようになる

☐ 勉強の勝ちパターンをつくろう

☐ ３色ボールペン、ストップウォッチ、手帳（ノート）を常
　　備する

☐ 自分よりレベルが上で、きちんと反応してくれる人に勉強
　　の進捗状況を報告する

☐ 間違えたこと、覚えるべき重要なことを手帳にチェックリ
　　ストとして書き込んでいく

☐ 教科書や参考書の目次をＡ３にコピーして、重要なポイン
　　トを余白に書き込んでいく

☐ 教科書やテキストの太字になっていたり、ラインを引いた
　　りしたところを見たら、瞬時に概要を暗唱する

☐ 勉強する時間を１時間とか２時間とか決めて、その時間内
　　で集中して取り組む

☐ 勉強する範囲を「ここからここまで」と決めて、そこだけ
　　は理解できるように取り組む

☐ 問題集は解説が充実して、なおかつ薄いものを１冊選んで、
　　それだけをやる

☐ 外国語は日本語訳を読む、原文を読む、音読CDを聞くとい
　　う３ステップで学習する

☐ 外国語で間違えたところを集めたカードやノートを見て、
　　瞬時に「合っている」「おかしい」とジェスチャーを交え

て判定する

☐ テストで間違えたところ、理解が浅かったところを中心にして、自分で穴埋め問題をつくって、覚えていく

☐ 復習のスケジュールを決めてしまう

☐ きちんとノートを取って、成績をアップさせる

☐ 授業で先生の話を聞きながら、キーワードを重要度別に分けてノートに書きとめていく

☐ 脳をフル回転させながら、ノートを取る

☐ 上から俯瞰的に見ながら、ノートを図化する

☐ 授業で先生の話を聞きながら、異なる２つ（AとB）を並べて、頭を整理しながら図化していく

☐ 構造化したり図化したりしたノートに書き込んだキーワードを理解できているかどうかチェックする

☐ テストで間違えたり授業で分かりにくかったりしたことをノートに記入して、それを徹底的に覚えていく

☐ 世界に１つしかないマイ教科書をつくる

☐ 図に重要なことを書き込んでいく

☐ 試験直前期には、新しいことに手を出さない

☐ 試験直前期には、できなかったところを「できる」に変える

☐ 試験当日は限られた時間でコンパクトに復習する

☐ 「きっと間違いがある」と思って、答案を見直す

☐ これまでやってきた積み重ねを自信にする

☐ 復習力があるから、本番で集中できる

☐ 復習力をプロセス化し、人と共有する

☐ チェックリストを活用して、モチベーションを高めていく

☐ 会ってすぐに名前を入れて相手に呼びかける

☐ 忘れ物を防ぐには、キーワードを唱えながら、指差し確認
をする

☐ 登場人物の人間関係図をつくりながら小説を読むと、面白
さに気づく

☐ 話しながら図を描いて、アイデアを出していく

おわりに

　最後までお読みくださり、ありがとうございます。

　本文でも触れた『論語』の一説「子曰く、学びて時に之を習う。亦説ばしからずや」の「説ばしからずや」を突き詰めていくと、「ドーパミンの感覚」です。

　このドーパミンの感覚とは、「リラックスしてワクワクする感覚」「やる気が出るような感覚」です。

　できなかった問題が解けると、「やった！」とハイタッチしたくなる瞬間があります。あるいは何回やっても覚えられなかった単語を記憶できたとき。「できた！」と大喜びしたくなります。

　そのとき**脳の中でシュワッと脳内物質であるドーパミンが出ている感覚があります**。実際に脳の中を見たわけではないのですが、おそらく出ているのでしょう。復習すると、このドーパミンの感覚を味わうことができます。

　本書でお話ししてきた復習法は、できないところを何度もやることを主眼にしています。なかなかできなかった問題を解けるようになったとき、思わず拍手したくなるかもしれません。そのときにドーパミンがシュワッとあなたの脳の中で出ています。

　この**ドーパミンがさらにできない問題にもチャレンジするよ**

うにあなたを導いてくれます。解くのが難しい問題をクリアすると、やはりドーパミンが出ます。

　このようにドーパミンをうまく利用することによって、結果が出るようになります。結果が出ると、ドーパミンが出て、また復習するようになる……。こういう好循環に入ると、勉強で継続的に結果を出せるようになります。

ドーパミンの感覚を身につける

　その復習の回数は6回、これで十分です。

　復習するからこそ、勉強の結果が出るようになります。結果が出ると、ドーパミンが出て、また復習するようになっていきます。復習することによって「ドーパミンの回路」をつくっていくイメージです。

　ドーパミンが出るようになると、孔子が言うように復習するのが楽しくなってきます。このドーパミンの感覚を自分のものにできるようになると、自然に復習するようになるし、勉強に向かうようになっていくことでしょう。

　私自身、これまで「勉強法」に関する本は何冊も出版していますし、世の中にはこのテーマに関する本があふれています。最近では、東大出身者や在学中の学生が自身の勉強法について体験的に語った本がベストセラーになっています。そうした傾向を見て「世の中には勉強法についてまだまだ知りたい人がたくさんいるんだなぁ」と感慨深くなったものです。

　ところが、勉強法の本がたくさんある中でも「復習」に絞っ

たものには、お目にかかったことがありません。勉強において最も大事なプロセスと言ってもいい復習を正面から取り上げていないのは、いかにも奇妙です。

おそらくあまりにも地味すぎて、テーマとして選びにくかったのかもしれません。またあまりにも当たり前すぎて、「今さら復習なんて……」と、著者の人も出版社の人もスルーしてしまった可能性もあります。

私自身、大事だと思いながらもあまり気にかけていなかったこともあって、「こんな大事なことをテーマにしないなんてもったいない」という思いで本書『頭のいい人が実践する6回やるだけ勉強法』を書くことにしました。

復習は人生の王道

復習は勉強の王道。

本書で私はそう力説しましたが、復習が大事なのは勉強に限りません。

復習は仕事の王道。

復習はスポーツの王道。

そう、復習は人生全般において大事なものです。その意味では、こうも言えます。

復習は人生の王道。

本書で列挙したさまざまな復習のやり方のうち、自分に合っているものを取り入れて、いつでもどこでもどんなときでも復習をしていくと、人生は大きく変わっていくことでしょう。

　復習という人生の王道を歩んでいき、あなたの今後が素晴らしいものになることを祈ってやみません。

齋藤 孝 （サイトウ タカシ）

1960年静岡生まれ。明治大学文学部教授。東京大学法学部卒。同大学院教育学研究科博士課程を経て現職。専門は教育学、身体論、コミュニケーション論。『身体感覚を取り戻す』（NHK出版）で新潮学芸賞受賞。

『声に出して読みたい日本語』（草思社）で毎日出版文化賞特別賞受賞。著書に『段取り力』（筑摩書房）『雑談力が上がる話し方』（ダイヤモンド社）『語彙力こそが教養である』（KADOKAWA）『読書する人だけがたどり着ける場所』（SBクリエイティブ）『頭のよさとは「説明力」だ』（詩想社）などがある。NHK Eテレ「にほんごであそぼ」総合指導。

頭のいい人が実践する
6回やるだけ勉強法
結果に直結する最強の復習

第1刷　2021年11月30日

著　者　　齋藤　孝
発行者　　小宮英行
発行所　　株式会社徳間書店
　　　　　〒141-8202　東京都品川区上大崎3-1-1
　　　　　目黒セントラルスクエア
電　話　　編集（03）5403-4344／販売（049）293-5521
振　替　　00140-0-44392
印刷・製本　大日本印刷株式会社